Cloches pour de

le mariage basque; le m

Francis Jammes

Alpha Editions

This edition published in 2023

ISBN : 9789357959674

Design and Setting By
Alpha Editions
www.alphaedis.com
Email - info@alphaedis.com

Contents

I

Le front bien pris dans l'étroit berret, les poings fermés dans les poches de son pantalon, Manech revient du village dont le clocher recule et s'abaisse derrière sa marche rapide. La séraphique vallée s'ouvre devant lui, avec ses basses montagnes couleur de pensée bleue. Et, entre elles, dans l'espace qui les isole les unes des autres, éclate la neige aveuglante et brisée de la grande chaîne pyrénéenne. Manech ne prête aucune attention au retour animé du marché qui encombre la route, car il se sent bien humilié. Voici quelques jours qu'Arnaud, le petit cocher qui fait le service d'Espelette, lui avait crié : « Je te porte un défi. » Il lui avait répondu : « J'accepte. »

———

Et Manech s'était répété à toute heure : « Arnaud m'a porté un défi. » Et ni son père qui commandait de haut, avec calme, pour que les brebis et le bétail fussent bien soignés, ni les frères et sœurs dont il était l'aîné, à dix-sept ans, et que l'on voyait patauger, les jambes nues, dans le fumier d'ajoncs, ne l'avaient distrait de cette obsession.

———

A ce défi, il venait de répondre, mais il avait été battu au blaid. Et il avait dû payer à Arnaud dix francs d'enjeu et une bouteille de vin.

———

Tandis qu'il s'en revenait, la nuit de mars tombait, éclairée par les blancheurs de l'aubépine. Et, aussi lumineuse que ces fleurs et que la laine du troupeau, la maison familiale de Manech se détachait d'autant plus sur la hauteur qu'un dernier rayon affaibli en pâlissait la chaux.

———

Cette maison avait nom Garralda. Elle ressemblait à un grand oiseau en train de se poser. L'une des ailes du toit, plus courte que l'autre, semblait faire perdre à l'oiseau l'équilibre. Sa poitrine, en saillie sur sa base, était striée de marron par de légères poutres laissées visibles. Et, comme si des flèches avaient été arrachées de son cœur, on voyait çà et là des blessures triangulaires. C'étaient les ouvertures par où le foin et les céréales prennent l'air. Le portail était fait d'un arc de pierres lourdes. Et au-dessus, dans une niche où le ciel bleu était peint, une Vierge se dressait entre des géraniums et des bluets artificiels.

———

De cette demeure ailée, deux oncles paternels de Manech étaient sortis. L'un, Jean-Baptiste, missionnaire en Chine où il vivait encore ; l'autre, qui était mort à la Havane avant d'avoir réalisé sa fortune. Si ce dernier eût survécu à la fièvre jaune, on l'aurait vu revenir au village, comme tant d'autres enrichis qu'on nomme « Américains », jouant au trinquet avec des amateurs, ou aux cartes en compagnie du maire et des adjoints. Il se serait parfois rendu à Bayonne, un pli sans défaut à son pantalon et chaussé de cuir jaune.

Le missionnaire était venu passer quelques semaines au pays, dans sa famille, à l'ombre des ailes du vieil oiseau blanc. Ce séjour, réclamé par sa santé chancelante, avait coïncidé avec la première communion de Manech, alors âgé de dix ans. La foi de l'enfant était sans mélange. Il prenait grand soin d'éviter les péchés : à part quelques larcins dans les vergers, et des coups échangés à l'occasion d'une partie de pelote, je ne pense pas qu'il en commît beaucoup. Il possédait une angélique pureté, le respect de son corps net comme du blé. Et il éprouvait une répulsion presque pour tout ce qui blesse, même de loin, la pudeur. Déjà l'on prévoyait cette beauté qui éclosait maintenant : des joues, des yeux et des dents d'un éclat incomparable ; une robustesse qui n'excluait point la grâce et qui le poussait, de préférence, aux jeux les plus mâles, surtout aux parties de rebot où sa maîtrise de plus en plus s'affirmait. C'est pourquoi il était atteint dans son amour-propre d'une blessure que seul un Basque peut à ce point ressentir.

Lorsqu'il franchit le seuil de Garralda, son père était déjà rentré avec l'ânesse chargée de ses deux paniers. Le bétail avait bu. Les frères de Manech en avaient pris soin. On soupa. Les femmes servaient. Le père prononçait, à de longs intervalles, une phrase qui était un ordre aussitôt exécuté. Manech ne souffla mot aux siens de la partie qu'il avait perdue. L'eût-il gagnée, il se fût tu de même. Il dormit mal.

Le lendemain fut l'une de ces délicieuses alternatives de pluie et de soleil où, dans un jour de velours gris, se détachent les essaims roses et blancs des jardins fruitiers. Bravant la légère intempérie, l'ondée et le grésil, les oiseaux, n'écoutant que les lois de l'amour, assourdissent la saison adolescente. Les roquettes, l'anémone-sylvie, la consoude, les narcisses, les ficaires, les violettes, les véroniques, les pulmonaires, les myosotis, la clandestine, ornent les prés et les berges. En cette matinée, toute proche de Pâques, mouillée et capricieuse, Manech menait un couple de bœufs au labour où l'attendaient son père et ses frères.

Entre deux haies tout écumantes de fleurs comme de vagues de printemps, il s'entendit appeler. Il reconnut Yuana sa voisine, de même âge que lui. Elle était plus que belle, brune comme un tabac de contrebande, et il s'émanait d'elle cette passion qui ne s'ignore pas et ne se laisse point ignorer des autres. De son large chapeau de moisson s'échappaient les mèches désordonnées de ses cheveux rétifs. Les yeux très grands semblaient deux grains de raisin noir tombés dans du lait bleu et marquaient l'effronterie tranquille. Sous le nez aquilin, charnu et très pur, les grêlons des dents luisaient entre les lèvres épaisses d'un rouge tanné. Elle n'avait pas une réputation intacte. On prétendait qu'elle donnait volontiers rendez-vous, dans les bois, à un Américain assez âgé, et qu'Arnaud, le postillon qui avait porté un défi à Manech, ne la laissait pas indifférente. Mais le seul qu'elle eût aimé de toute sa passion de sauvageonne était précisément ce Manech si loin d'elle par sa retenue. Entre cette dégourdie qui n'eût demandé qu'à le séduire, et ce garçon qui laissait percer tant de candeur, le contraste était saisissant. Il éprouvait une sorte de gêne et de honte lorsqu'il la rencontrait, et cette impression s'était encore accrue depuis qu'il l'avait surprise, un soir de foire, buvant au café, en compagnie du riche monsieur de Buenos-Ayres.

Manech ayant arrêté son attelage, elle lui lança un brin de paille qu'elle avait déchiré entre ses dents et lui dit avec un sourire :

— Je sais qu'Arnaud t'a porté un défi et qu'il est ton maître.

Il répliqua seulement par un regard dédaigneux, et continua sa route. Mais un orage s'amoncelait en lui. A ces mots de Yuana : « Arnaud est ton maître », son cœur avait un moment cessé de battre.

Les fêtes pascales l'apaisèrent. Il communia. Du haut des tribunes qui faisaient ressembler l'église à une caravelle d'or toute sculptée de saints, il mêla sa voix aux chants divins et barbares qui semblaient regagner les lointaines vallées. On l'apercevait, juché comme un mousse sur la hune, étreignant son berret, le menton sur une main. Il considérait sur les vitraux le chemin de croix où Jésus lui apparaissait comme quelqu'un de très naturel, de très personnel, d'infiniment bon. Et les femmes présentes à la Passion étaient à Manech comme des sœurs et des mères du pays basque. Mais tous ces Juifs, oh ! comme il les eût défiés au trinquet, au rebot, à mains nues ou au chistera. Ils étaient noirs comme le démon, et il avait horreur du démon. Le démon ! Soudain il se l'imagina sous la forme de Yuana qui avait la lèvre épaisse, le nez accentué, un teint de bistre. Ne disait-on pas qu'un sang de bohémien coulait dans ses veines ? Et « bohémien », dans la pensée basque, n'est-il pas une épithète méprisante qui n'a rien à voir avec les romanichels, mais qui s'applique à une partie de la population rurale, fixée dans le pays depuis des siècles, volontiers paillarde et voleuse, et qui dérive, tout porte à le croire, de l'invasion mauresque. Ils sont fermiers, métayers, maquignons, vanniers, se reconnaissent à la fixité de leur masque de bronze, se marient entre eux. Néanmoins, ce qui était arrivé dans l'ascendance de Yuana, des unions le plus souvent libres mêlent la race de Mahomet à la douce, mystérieuse et pure lignée euskarienne.

Manech se rendait un mardi vers deux heures au village, lorsqu'il s'arrêta devant la gendarmerie pour renouer sa sandale. L'Américain de cinquante ans auquel Yuana accordait un peu plus qu'à d'autres ses faveurs, flânait de ce côté. S'adressant à un petit groupe :

— Voyez-moi, fit-il en désignant Manech, ce garçon qui ne connaît pas encore les femmes, et qui s'est laissé battre par Arnaud.

Quelle aigreur n'y avait-il pas dans ce propos ! Celui qui le tenait savait que la folle fille qu'il aimait était secrètement éprise de Manech.

Celui-ci riposta :

— J'aurai ma revanche. Mais à vous d'abord je porte un défi.

L'Américain cambra la taille, offusqué de s'entendre provoquer par ce petit. Et, tout pâle :

— Je tiens l'enjeu. Pour l'honneur ?

— Pour l'honneur, fit Manech.

— Quand ?

— Tout à l'heure, au trinquet.

La joute fut ardente. Mais, dès le début, Manech, en proie à un fou désir de triompher, sentit se décupler sa force et son adresse. L'énervement des jours précédents, loin de nuire à ses muscles si souples, le servait. Quelques ruraux et gens du village, parmi lesquels Arnaud, assistaient à cette lutte. Mais ils ne soupçonnaient point que ce qui en causait l'âpreté n'était pas seulement la réflexion mordante de l'Américain touchant la récente victoire d'Arnaud sur Manech, mais encore, et sans que celui-ci le comprît au juste, la jalousie du vieil amant de Yuana.

Dans l'atmosphère chargée du trinquet, les deux rivaux tapaient. La pelote volait au but avec une obstination multipliée qui dilatait la poitrine des combattants et des témoins. Puis elle volait sur les toits des loges, se jouait en capricieux rebondissements, cherchait pour dégringoler jusqu'à terre l'endroit le plus inattendu où elle pût échapper à la main du joueur. Mais celui-ci, comme s'il avait eu son œil au bout de son ongle d'osier, prévenait les ruses de la balle qu'il relevait d'un coup mat. Elle refilait surprise d'elle-même, agile comme un cœur détaché de tout, frappait le but, obliquait à gauche, tambourinait, cascadait, retombait, s'élançait de nouveau, repartait, et soudain s'immobilisait à l'annonce d'un coup faux ou d'un raté. Parfois, sous son dernier choc, qu'entendait la tringle de métal du but tressaillir comme un diapason.

Manech en termina, distançant de beaucoup son adversaire qui entendit cette phrase qui le cingla :

<hr>

— Le vieux a les reins faibles, le petit l'a compris et jouait bas.

<hr>

Ce ne fut point, en cet après-midi, le seul triomphe de Manech. Séance tenante, il accepta de prendre sa revanche sur Arnaud qui, sans doute poussé par l'Américain, le provoquait. L'enjeu fut de dix francs comme l'autre jour. Mais cette fois Manech battit Arnaud, ce qui blessa l'Américain autant que le postillon dont il avait souhaité la victoire. Bien qu'il soupçonnât ce dernier de fréquenter Yuana, Manech seul lui portait ombrage. Le cœur humain a de ces mystères.

<hr>

Manech ne s'en retourna point chez lui la tête basse, mais fier et sifflant tout au long de la route. Pas plus qu'il n'avait fait part à sa famille de la défaite de naguère, il ne lui apprit sa victoire d'à présent. Il puisa de l'eau, soigna le bétail et les chevaux et, après souper, s'amusa d'une flûte de buis, assis sous l'arc de pierre antique.

Le souvenir de son double succès lui fit trouver plus douce la tâche de la maison. Elle s'accomplissait sous la loi du père qui aimait les siens tout en les tenant sous le joug.

Manech n'avait plus songé à Yuana, lorsqu'il la retrouva, le samedi suivant, non loin de l'endroit où, avec une amoureuse malice, elle lui avait parlé de la défaite qu'il s'était vu infliger par Arnaud. Il allait passer. Mais, à nouveau, elle le retint et, ne dissimulant plus une passion gracieuse, elle lui dit :

— Tu les as tous battus. Quand me battras-tu, moi ?

Et elle lui jeta à deux mains un baiser.

Il en éprouva un choc, non pas de déplaisir. Ce geste n'était-il pas un hommage rendu à son adresse de jeune joueur de pelote, une preuve qu'elle avait eu connaissance de l'éclatante revanche qu'il avait prise ?

Il fut troublé cependant par tant d'audace et s'éloigna sans mot dire.

— Elle a fait un péché, pensa-t-il.

Au cours du bel après-midi, il se sentit caressé par un souffle qui, sans qu'il s'en doutât le moins du monde, était dû au baiser de Yuana qui s'était envolé vers lui. Son cœur en fut gêné. Il lui prit comme une de ces fièvres de la jeune saison qui reviennent par intervalles. Il ne sut qu'en penser. Il dormit agité la nuit suivante, tenu longtemps en éveil par ses sens qu'il ignorait. Il se leva dès l'aube, fit sa toilette du dimanche, assista à la messe, vaqua aux soins domestiques, oublia quelque peu son inquiétude.

Mais, un peu plus tard, il se sentit repris de l'étrange malaise. Pour tâcher de le dissiper, il prit sa canne à pêche et descendit vers le moulin. Il aperçut Yuana qui se dirigeait vers le village. Elle portait un costume de demoiselle et tenait un panier. Elle ne le vit pas, d'autant moins qu'il se dissimula entre les aulnes dont jaillissaient les jeunes aigrettes d'un vert ensoleillé. A ce moment quelques larmes roulèrent de ses yeux sans qu'il en pût définir la cause. Mais il sentit un grand calme se faire dans son cœur lorsqu'il se fut assis sur un mur ruiné, les jambes pendantes au-dessus du torrent qui bondissait léger. Le flotteur désaligné était entraîné par les tourbillons. Il sursautait comme si des truites se fussent acharnées après l'appât : mais ce n'était qu'une illusion causée par les dentelles de l'écume se déchirant aux galets. Manech n'y prenait point garde, laissait le bouchon valser dans le courant. Il lui était bon d'être là. Ce petit coin solitaire l'emplissait d'une douceur sans nom. Et tant qu'il y demeura, en face d'un îlot que formait, entre des réseaux d'argent mobiles, une corbeille de cardamines d'une lumière pourprée et verte, si vive et tendue qu'aucun paysagiste n'eût su la reproduire, sa pensée demeura limpide et calme. Le pouvoir occulte de Yuana, qui s'était imposé à lui sans qu'il le démêlât, les tentations émanées d'elle, éparses autour de lui comme des pollens irritants, étaient conjurés par la vierge poésie de l'eau en fleurs.

Mais, dans la suite, quelques nouvelles rencontres qu'il fit de Yuana, toujours aussi provocante, le replongèrent dans un trouble qui devenait une légère ivresse dans ce ciel où bourdonnaient les abeilles. On y voyait flotter et rouler, succédant à l'aube des fleurs, les épais nuages de lilas se dégageant des haies juteuses. Une nuit, il se sentit oppressé comme il l'était, au fort du mois d'août, lorsqu'il se plongeait en frissonnant dans la Joyeuse. Mais, cette fois, il ne se reprenait point, il n'éprouvait pas cette liberté reconquise, ni cette détente dans la suffocation du nageur qui s'abandonne au courant après un instant d'angoisse. Et cette obscure insatisfaction qui le poignait à cette heure n'allait pas sans remords, elle persistait dans ses rêves dont une fois il s'éveilla en sursaut, croyant que Yuana l'étranglait. Il se jeta au bas du lit, fit un signe de croix et, sans troubler le sommeil de ses frères dont il partageait la chambre, il alla demander à la fraîcheur des ténèbres du dehors de calmer les battements de ses tempes. Il s'assit sur le banc que recouvrait une tonnelle de lauriers, à l'un des angles du potager de Garralda. Et il entendit un rossignol dont le chant s'élevait d'un tilleul qui masquait à moitié, toute tremblante de lune humide, la ferme où demeurait Yuana. Un rossignol, non loin de Manech, répondit. Et l'enfant retrouva dans cette harmonie le même apaisement que la rivière, sous la pourpre des cardamines, lui avait versé. De ces liquides phrases que lançaient les oiseaux, l'on eût dit des murmures d'argent qu'il avait l'autre jour entendus en pêchant à la ligne. Le mauvais songe se dissipait. Le fantôme de Yuana desserrait son étreinte. Le cœur de l'adolescent redevenait libre comme une pelote basque qui, un moment emprisonnée, retrouve l'amour du ciel.

II

Au mois de juillet, vers cinq heures, le cri aigu d'un pipeau déchira le ciel, et un instrument à cordes se mit à ronfler comme un essaim. Manech, pareil à ceux de sa province qui n'admettent que le jeu de pelote si noble, si pur, si dépouillé, considérait avec une curiosité mêlée de dédain les danseurs aux oripeaux multicolores. Sur la place même du rebot, où Basques-Français et Basques-Espagnols venaient de se livrer une rude bataille, les danseurs souletins semblaient se déplacer sans toucher le sol. Il était impossible, sous leurs semelles de corde, d'apercevoir antre chose que le vide. Un personnage, coiffé d'une mitre monumentale, emplumée, fleurie et constellée d'éclats de miroirs, avait le corps passé jusqu'à la taille au travers d'un cheval de bois. Il animait d'un continuel et doux balancement cette monture fantastique à la croupe assez volumineuse, dont la tête réduite jusqu'à la monstruosité rappelait, au bout du col serpentin, une pièce du jeu d'échecs. Ce cavalier danseur était ai sûr de lui qu'il n'avait nul besoin de jeter le moindre regard sur ses jambes chaussées de gros bas et bandées de velours à la cheville. Elles lui étaient d'ailleurs cachées par un ample volant de dentelles qui simulait la housse du destrier. Dès qu'il entrait en action, il faisait, d'un élan circulaire infiniment gracieux qu'il imprimait à ses hanches, se développer autour de lui cette jupe qui ondulait avant de retomber en neigeant. Sa face respirait l'orgueil mâle, la dureté, l'indifférence d'une sauvage beauté qui ne cède qu'au souffle invisible qui monte de la terre. Il était comme un astre qui soumet à sa gravitation de brillants satellites. Il hésitait à prendre l'essor, marquant le pas sur place. Puis, tel qu'un paon blanc faisant la roue, huppé de toutes ses roses pourpres et violettes il s'avançait. La trépidation s'accélérait. Il ne tenait plus au sol. Avec une magique vitesse il croisait et décroisait ses pieds rebondissants qu'une vertu secrète décochait en l'air comme deux flèches multipliées dans le déploiement de sa nébuleuse.

Autour de cet empereur, ou de cet évêque guerrier, divers baladins tournaient, vêtus d'un rouge, d'un bleu, d'un jaune et d'un blanc si criards que l'on eût cru voir vivre d'anciennes images d'Epinal. Chacun des personnages avait un rôle nettement assigné, accomplissait des rites dont la tradition a conservé les gestes, mais sans doute perdu le vrai sens. L'un d'eux, tenant un martinet en guise de sceptre, semblait, tant son vol était rapide, se laisser porter par un cyclone. Il souriait d'un air sensuel, montrant des dents de carnassier, les yeux perdus vers le zénith, entraînant dans son orbite l'un de ses compagnons dont la robe coquelicot laissait paraître d'étroits pantalons de femme empesés. Tous semblaient soutenus par une puissance diabolique. Et il est vrai que cette danse bizarre s'appelle *la danse des satans*.

La danse des satans ! Manech en avait souvent entendu parler. On la pratiqua toujours à Mauléon et à Tardets, mais il ne l'avait jamais encore vue. La municipalité la produisait ici, pour la première fois, en l'honneur de la fête patronale.

Lorsque ces hommes infatigables qui, depuis l'avant-veille, avait traversé huit villages en y dansant, et en dansant sur leur trajet, tout au long des routes poudreuses, laissèrent se dissiper le charme qui les élevait dans les airs, l'un d'eux se plaça au milieu de la haie de curieux qui les entourait.

Un grand silence majestueux et triste planait au-dessus des platanes qu'accablait encore la canicule dans le soir tombant.

Une phrase monta, une phrase chantée par celui qui venait remercier le Labourd d'avoir invité la Soule à danser devant lui, une phrase sans limites, aux modulations variées comme les nuages du couchant où elle allait se fondre, une phrase si ample qu'on l'entendait dépasser les crêtes, descendre au bas des vallées et remonter, une phrase sans reprise faite de soupirs ou d'appels.

C'est alors que Manech aperçut, à vingt pas de lui, Yuana qui, de ses yeux d'amoureuse, le provoquait. Elle portait des bas fins, des souliers à la mode, une rose noire au corsage. Elle lui sourit. Mais il ne répondit pas à cette agacerie. Et, lui tournant le dos, les mains aux poches, le berret en arrière, il alla retrouver ses camarades qui s'amusaient aux tirs et aux loteries. Il se sentait libre à ce moment. Il ne pensait pas à grand'chose. Depuis la fin du printemps, il avait peu rencontré Yuana et ses sens s'étaient tus, sa fièvre s'était éteinte. Il était encore le sage adolescent auquel son père avait permis d'assister, ce soir, au feu d'artifice.

Il ne reprit que vers dix heures le chemin de Garralda. La nuit était si lourde qu'il avait enlevé sa veste, la laissant pendre négligemment sur une épaule.

Il n'avait pas franchi le premier kilomètre qu'il crut apercevoir, à quelques pas de lui, Yuana qui revenait de la fête. C'était bien elle, mais pas seule. Il la distança et reconnut, sans hésiter, dans le jeune homme qui la tenait par la taille, le danseur souletin qui, tantôt, les yeux perdus, porteur d'un sceptre comique, valsait vertigineusement. La lune était trop claire pour qu'il pût se méprendre, quoique le baladin eût substitué à son costume de parade un simple pantalon de toile blanche et l'une de ces blouses que, dans le pays, on appelle chamar.

Manech passa devant eux, sans avoir l'air de les reconnaître. Mais il s'entendit nommer presque aussitôt. Yuana courait à lui avec beaucoup de grâce, ayant abandonné son accompagnateur.

— Manech, dit-elle, tu retournes à Garralda ? Veux-tu que nous fassions route ensemble ! Mais ralentis ton pas, je suis un peu essoufflée.

Il n'osa refuser, ne lui fit d'abord aucune réflexion, mais elle la prévint :

— Cet homme avec qui tu m'as rencontrée…

— Est un danseur.

— Oui, un danseur qui a connu mon cousin au régiment et qui m'en donnait des nouvelles.

— Est-ce que ton cousin n'est pas déserteur ?

— Une nuit, répondit-elle, il était en permission, il a aidé à passer des chevaux par Espelette. Une fois en Espagne, il n'est plus rentré à la caserne.

— Et le danseur, fit Manech ironique, est-ce qu'il n'a pas déserté avec lui ?

— Je vois que tu te moques d'un brave garçon ; pourquoi veux-tu qu'il ait déserté ?

— Parce qu'il est d'une race de fainéants et de sauteurs qui ne sauront jamais jouer à la pelote, d'une race de bohémiens.

Yuana, qui connaissait les bruits mis en circulation sur ses origines, sentit passer l'affront comme une gaule qui eût cinglé sa figure. Mais elle n'était point méchante, ni rancunière, ni colère. Elle répondit, les larmes aux yeux :

— Ah ! certes, je sais que je ne suis pas née à Garralda. Vous êtes l'une des plus anciennes maisons du pays, où il y a le plus d'honneur.

— J'ai un oncle et j'ai eu des cousins prêtres, prononça-t-il avec orgueil.

— Je le sais, Manech.

— Un autre de mes oncles est mort aux Amériques…

— Je le sais, dit-elle, et qu'une fille de mon sang, que tu dois mépriser, n'aspirera jamais à devenir même ta servante.

Il la regarda avec hauteur.

— Oui, reprit-elle. Je sais ce que tu vaux, Manech, et ce que je ne vaux pas. Et c'est pourquoi je t'appartiendrai, tant que tu le voudras, dans la forêt.

Il comprit mal cette expression «je t'appartiendrai», encore qu'elle la traduisît en basque ; mais tout de même assez pour lui répondre :

— Tu es une fille de péché ! Laisse-moi.

Et, pressant le pas, il fut bientôt devant Garralda, la laissant rentrer seule chez elle.

Il commençait de pleuvoir à grosses gouttes. Il éclairait et tonnait.

Manech entra dans la chambre où dormaient ses frères.

La chaleur était suffocante. Ce ne fut plus la fièvre légère du printemps dernier, que le riant îlot de cardamines et le chant des oiseaux avaient suffi à faire tomber, mais une tentation qui causait un vertige comme celui qu'engendrent les fumées du vin nouveau. Et la grappe sombre qui distillait cette ivresse, Manech n'en douta plus, c'était Yuana. Tout le mal venait d'elle et se fixait dans son fantôme nocturne.

Autour de Manech, sous les ailes du grand oiseau Garralda, tous reposaient doucement. Il n'en pouvait qu'être ainsi pour ses jeunes frères dont tout l'émoi ne passait pas le cadre de l'étable où une génisse était née, ou les mailles du filet qui servait à prendre de menus poissons ; de même pour ses sœurs aux sourires innocents, contentes de si peu, appliquées à leur humble besogne, et pour ce père et cette mère étendus l'un à côté de l'autre.

Manech avait fini par céder au sommeil. Mais il se réveilla bientôt en sursaut, en proie à une crise qui surprit la netteté de son âme et de ses sens. Il avait pourtant prié Dieu avant de se coucher. Pour tenter d'échapper aux feux de cette nuit d'été, il se vêtit et sortit comme il avait fait au printemps. L'averse noyait toutes choses, et il grelotta dans l'épaisse obscurité. L'eau découla tout le long de son corps, pénétrant par le col mal ajusté de sa chemise. En peu de minutes il fut trempé de la tête aux pieds.

Le visage tourné vers la ferme hantée, il maudissait le fantôme qui l'avait poursuivi jusque dans ses rêves.

Un coup de vent plaintif balaya les cimes des chênes du petit bois où il se trouvait. La pluie redoubla. Les fougères lui envoyaient leur âcre odeur. Il demeura dans la rafale, de plus en plus transi, mais peu à peu triomphant de son mal mystérieux. Le calme succédait à l'agitation, un rythme régulier au battement désordonné de ses artères. L'incendie de son sang faisait trêve. De plus en plus s'estompait dans sa pensée la trop vivante image de Yuana. La vision spécieuse s'évanouit, la hantise étrange céda aux éléments. Il alla se recoucher, s'endormit paisible, bercé par les voix de la nature qui continua de lui verser le calme qu'elle-même peut-être ne parvenait pas à retrouver.

Durant les jours et nuits qui suivirent, Manech fut encore éprouvé parfois, mais pas avec cette violence. Cependant il s'intéressait moins à la vie quotidienne, il se décourageait. Naguère, il lui suffisait d'un peu de soleil dans l'eau pour qu'il ressentît une joie sans mélange qui le poussait à siffler ou à chanter. Il prenait moins d'action aux parties de pelote, malgré la double victoire qui l'avait classé très haut parmi les joueurs.

Sans doute, maintenant que sa réputation était bien assise, quelques défaites essuyées çà et là, comme il arrive aux plus experts, n'avaient guère d'importance : mais, peut-être aussi, n'était-il plus stimulé par les traits qu'à l'occasion lui avait lancés Yuana. Celle-ci, depuis le soir où il l'avait traitée si durement, avait à son égard changé d'attitude. Elle était bonne comme ne le sont que trop souvent ses pareilles. Et le profond sentiment qu'elle lui gardait l'eût préservée de la rancune, même si elle y avait appliqué sa volonté. Elle aurait donné sa vie pour lui. Elle l'aimait de tout le refus qu'il lui avait opposé, de toute la condamnation qu'il avait portée contre elle en lui disant : « Tu es une fille de péché, laisse-moi », et qui l'avait laissée pleurante, durant cette même nuit qu'il avait tant souffert lui-même.

A chaque nouvelle rencontre de Manech, le bonjour de Yuana se faisait plus grave, plus doux et plus respectueux. Elle semblait implorer son pardon, et il le sentait si bien que cette attitude le touchait dans ce que son cœur avait de plus tendre.

Un jour, il la trouva assise au pied d'un châtaignier et, comme elle ne lui disait rien et continuait d'enguirlander son chapeau avec des fleurs de la prairie, il lui parla, cette fois, le premier :

———

— Yuana, lui dit-il, je t'ai fait de la peine ? Mais je reste ton ami quand tu ne veux pas faire ce qui est défendu.

———

Elle leva vers lui ses yeux chargés de nuit brûlante :

— Avec toi, dit-elle, oh ! non... Je t'aime trop : je ne veux pas faire ce qui n'est pas permis.

———

Les assourdissantes cigales accompagnaient ce dialogue étrange qui fit à peine frissonner le ciel pesant et bleu. La campagne trônait dans sa gloire patriarcale. Non loin de ces deux enfants, les brebis dormaient debout, formant un cercle dont le centre était formé de leurs museaux et de leurs fronts qui recherchaient ainsi l'ombre mutuelle. Une innocente grandeur se dégageait de cette immobilité animale. Une onde ombreuse et dorée gloussait sous les aulnes qui la cachaient. C'était la marée haute de la lumière qui accuse les angles des montagnes suspendues dans l'espace comme des jougs reluisants. Elle vibrait sur les fleurs jaunes des coteaux broussailleux où se perdent les sentiers difficiles ; elle soulignait le courbe sillage du pivert ; elle lustrait l'aile du geai qui, lourdement, passait d'un bocage à l'autre ; elle projetait, dans une échappée, à l'est, sur les collines hérissées de pins, l'ombre de quelques nuages blancs d'autant plus épaisse que le reste du paysage flamboyait.

———

Un strident coup de sifflet retentit.

———

A la lisière de cette même forêt où quelques jours auparavant, Yuana avait proposé à Manech de la suivre, une forme claire et souple surgit entre les fûts des chênes. Manech reconnut Arnaud, qui, l'ayant vu avec Yuana, se replongea dans le fourré.

— Je ne sais qui ce peut être, dit la jeune fille.

Manech ne répondit point. Il n'avait pas regagné Garralda, qu'il entendit un deuxième coup de sifflet plus impérieux.

III

Yuana était allée rejoindre dans le bois Arnaud qui l'avait battue. Elle avait éprouvé une joie sauvage à souffrir à cause de Manech, encore que la jalousie de l'autre fût bien vaine dans son grossier motif. Mais il était bien impossible au postillon de concevoir que Yuana, qui déjà partageait ses faveurs les plus osées entre lui et l'Américain — sans compter le danseur et les autres — pût tenir un autre langage que celui dont elle se servait avec eux. Il semble que des raisons intéressées engageassent Arnaud à montrer de l'indulgence à son amie, lorsqu'il s'agissait de l'homme mûr et riche. Mais il n'était pas d'humeur à tolérer qu'elle se livrât à un rival du même âge que lui, et au sujet duquel, par cette agacerie qui lui était naturelle, il s'était entendu reprocher de s'être laissé vaincre en compagnie de l'Américain.

Arnaud ne voulut pas que Manech ignorât qu'il s'était vengé sur Yuana de ce qu'il les avait surpris causant ensemble, au pied d'un arbre. Il le taxa d'hypocrisie et lui dit qu'il ne ferait croire à personne, malgré la bonne opinion que pouvaient avoir de lui les abbés, qu'il fût dans les prés avec elle pour lui apprendre le catéchisme. Manech, après avoir repoussé l'insinuation, se tut, sentant bien qu'il ne serait pas cru. Mais il souffrit en silence de ce que la jeune fille eût été soupçonnée, à tort, de s'être mal conduite avec lui.

Il se faut bien pénétrer de cette forte vie religieuse au pays de Manech. Dans la maison de Garralda, comme dans la plupart des fermes, chez Yuana même, la foi est un de ces rayons qui traversent sans hésiter les plus sombres nuages. Dans la chambre des père et mère de Manech on se réunissait avant le repos de la nuit pour sanctifier la journée. Il y avait, sur la cheminée, au pied du crucifix, de nombreuses photographies de parents plus ou moins éloignés. Celle de l'oncle missionnaire en Chine occupait la place d'honneur. Çà et là quelques religieuses, des prêtres. Ceux-ci reposaient dans les cimetières de leur paroisse, dans les villages primitifs enfouis dans d'épaisses et frustes vallées que n'égayent que les cigales sur la torpeur des cerisiers sauvages. A Garralda, durant cette oraison du soir, petits et grands courbaient le front devant ces ombres vénérables.

Arnaud avait donc reproché à Manech de se faire bien venir des abbés et d'être indigne de cette confiance qu'ils lui accordaient. Il est vrai que, tant à cause des saintes gens qui avaient honoré sa famille qu'en raison de sa sagesse, on le citait aux autres en exemple. Et, précisément, cette chasteté dont ailleurs on sourit volontiers, et qu'Arnaud soupçonnait bien à tort d'être feinte, le faisait respecter même des plus hardis. Entre les jeunes prêtres et lui, existait cette camaraderie charmante qui fait qu'on se relance la balle à tour de bras dans le trinquet où les soutanes flottent. A cette rude et saine vie l'âme apprend à ne point mépriser la force d'un sang vierge. Manech faisait partie de la fanfare. Et le cœur de Yuana battait lorsqu'aux processions elle le voyait s'avancer vêtu de toile blanche, portant sur son berret d'une laine candide un petit rameau de chêne, et sonnant d'un naïf clairon. Son amour pour lui s'épurait. Elle en arrivait, croyait-elle, à l'aimer comme aime une sœur.

Pour récompenser de leur zèle quelques enfants du patronage, un de leurs maîtres les emmena voir la mer. C'était un spectacle nouveau pour Manech. Lorsqu'il se trouva devant elle, tout d'abord elle lui parut absente quoiqu'elle barrât toute une rue. Il la confondait avec le ciel. Ce ne fut qu'après un moment qu'il se dit : « C'est la mer. » Il la portait tellement en lui qu'elle lui apparaissait comme une chose dont on a l'habitude et qu'on ne remarque plus. L'oncle de Chine, et l'oncle mort à la Havane, et tant d'ancêtres ignorés de lui, ceux qui montaient la barque légendaire qui aborda sur la plage basque étaient nés avec cette rumeur et cette lumière dans les veines. Maintenant, tandis que la plupart de ses camarades se distrayaient autour de lui, Manech demeurait immobile et pâle devant ce développement de clarté.

L'abbé qui les conduisait lui demanda :

— Eh bien ! Manech ?

Il ne répondit pas. Il ressentait une paix infinie. Il lui semblait que les hommes qui vivaient sur ce pâturage mobile et sans arbres, où l'écume éparpillait ses brebis, possédaient la plénitude de bonheur que peut donner le monde. Des voiliers qui se rapprochaient peu à peu étaient comme de blanches métairies qui se fussent détachées de la terre, planant dans leur liberté. Certes, belle et douce était Garralda, la maison natale, mais pourquoi ne remuait-elle pas ? Pourquoi ses grandes ailes inégales demeuraient-elles abaissées dans cette mort ? Ah ! partir ! plonger son âme dans cette rumeur semblable au chant lointain d'une église ; se perdre dans cette pureté qui planait au-dessus des eaux ; échapper aux malaises qui l'avaient tourmenté, à Yuana, aux malices d'Arnaud et de l'Américain. Il voulait aller sur la mer. Il se disait cela.

Il préféra, pendant que ses compagnons et leur maître allaient visiter la ville, de demeurer sur un rocher, sans même songer à prendre la nourriture qu'il avait apportée. Et le déroulement de ces prairies infinies et transparentes, labourées par d'invisibles charrues, sous ses yeux se déployaient en courbes écumantes qui rentraient en elles-mêmes pour s'épandre à nouveau. L'abbé dut l'arracher à sa rêverie. Il suivit les autres, tout étonné de n'apercevoir qu'alors, sur la plage, tant de personnes qu'il n'y avait pas remarquées. Des femmes allaient et venaient.

———

L'une lui sourit en passant. Il l'aurait prise pour Yuana. Mais ici ?... Il se retourna et elle se retourna.

———

Que lui importait d'ailleurs ? Il y avait maintenant, sur l'océan qui se fonçait, de longues traînées semblables à des bancs de sable jaune et, entre elles, des flots qui luisaient et sautaient comme des poissons. Ce lui fut une journée inoubliable et, le soir, à Garralda, il s'endormit comme s'il venait de naître à une vie nouvelle.

———

Il rêva aux Amériques. Il s'y rendait en se jetant aussi facilement à la mer que dans la nasse du moulin de la Joyeuse. Le désir de s'enrichir qui hante chaque Basque se mêlait à l'attrait de l'aventure. Ce fut un songe diffus, plein d'ambition et d'allégresse.

Bien qu'il occupât fort peu son esprit de Yuana, il s'était plusieurs fois demandé comment il se pouvait qu'il eût rencontré sur la plage une jeune fille qui lui ressemblait tellement et qui lui avait souri. Mais la supposition lui parut vite absurde que cette élégante à chapeau et Yuana ne fussent qu'une même et seule personne, puisqu'il venait de surprendre celle-ci, nu-pieds, comme elle était le plus souvent, et s'amusant à faire galoper sous elle une petite jument que l'on soignait pour l'élevage et les primes. Elle la montait sans selle, s'accrochant à la crinière et poussant des exclamations qui se changèrent en fous rires lorsqu'elle aperçut Manech. Il ne put s'empêcher de la trouver charmante, quoique dans son admiration elle demeurât toujours « la fille de péché ». Il est vrai que cette amazone brune et nerveuse devait ressembler bien davantage à une Sarrazine qu'à une Chrétienne. Comme elle s'excusait en ramassant son chapeau et en défroissant sa robe, il se mit à parler avec elle, lui racontant qu'il était allé voir la mer. Et il lui demanda si elle ne s'absentait jamais que pour se rendre au village.

— Mardi dernier, dit-elle, j'ai été à Bayonne pour acheter une bicyclette.

———

C'était le même jour qu'il l'avait rencontrée sur la plage, voisine de la petite cité.

— Tu as donc maintenant une bicyclette ?

— Oui.

— Tu es bien heureuse !

— Tu n'avais pas encore été à la mer ? demanda-t-elle.

— Non, jamais. Et toi ?

— Moi, oui. Mais je l'avais déjà vue de loin.

— D'où cela ? demanda-t-il.

— D'Ursuya. Es-tu monté à Ursuya ?

Et elle indiquait de la main la petite montagne qui s'étend au sud avec sérénité.

— Non, fit-il. Qu'aurais-je été y faire ? Nos brebis n'y pacagent pas.

— Il y a des granges et une source sous un arbre.

— Alors, de là, on voit loin ?

— Quand on commence de monter, le pays devient grand, grand.

— Tu y es allée toute seule ?

— Je connais le chemin. Lorsqu'on est à moitié de la montagne, on voit les flèches de la cathédrale de Bayonne et des fumées. Puis, en s'élevant encore... Oh ! tout d'abord je ne pensais pas que c'était la mer, tout le bas du ciel devient luisant. Je ne sais pas comment le dire, c'est comme du lait qu'on trait dans une terrine.

Il demanda encore :

— Est-ce qu'il faut longtemps pour arriver en haut ?

Elle répondit :

— Pour toi, il ne faudra pas deux heures.

Il la quitta. Sans doute avait-elle espéré qu'il lui demanderait de l'accompagner un jour à Ursuya. Non certes qu'elle voulût essayer de le tenter de nouveau. Elle s'en tenait, avec un respect aussi scrupuleux que singulier chez une fille de son espèce, à la défense qu'il lui avait faite. Mais elle l'aimait tant qu'elle eût tout sacrifié pour une promenade sentimentale avec lui, comme en rêvent les femmes aux sens les plus passionnés, et qui l'eût changée d'un buissonnage qu'elle se permettait dans la montagne avec Arnaud, l'Américain et d'autres.

Un dimanche de septembre, après déjeuner, Manech sortit de Garralda sans dire où il allait. Quelque remords le prit de manquer les vêpres auxquelles d'habitude il assistait. Mais la belle journée, l'attrait de cette mer que Yuana lui avait dit être visible du haut de la montagne le décidèrent. Il contourna le village et fut bientôt à la base d'Ursuya. Il était assez accoutumé aux pâturages élevés pour qu'il ne déviât pas de la route qu'il devait suivre pour atteindre le sommet. Cette course était un jeu pour lui. Il fut aux premières granges vers trois heures. Çà et là des brebis abandonnées à elles-mêmes broutaient. Il ne semblait pas que pût être plus complète, se faire sentir davantage que dans ces lieux déserts, la paix bucolique. Manech ne se fût certes pas attendu à rencontrer âme qui vive sur ce flanc crépu de fougères qu'il abordait pour la première fois. Quelle ne fut pas sa désagréable surprise quand, parvenu aux deuxièmes bordes, il se trouva face à face avec Yuana et l'Américain, goûtant ensemble à l'ombre d'un rocher. Ils avaient retiré d'un panier posé près d'eux quelques gâteaux, une bouteille, un verre. Un éclat de rire de l'Américain salua l'apparition imprévue de Manech auquel il cria de venir boire à la santé de la jeune fille. Celle-ci ne savait quelle contenance faire, ennuyée d'être ainsi découverte dans une compagnie dont elle n'était point trop flattée, par cet enfant de son âge qu'elle aimait de la façon la plus vive, la plus désintéressée et qu'elle n'eût point voulu scandaliser.

A l'offre de l'Américain, Manech ne répondit que par un haussement d'épaule. Il continua de monter, tournant le dos au couple. Et bientôt la distance et les vallonnements, une grange aussi peut-être, lui eussent caché, s'il eût regardé en arrière, ce qui lui avait paru une tache au milieu du paysage vierge.

Arrivé aux dernières bergeries, il s'assit sous le petit arbre et auprès de la source que Yuana lui avait signalés l'autre jour en le poussant à cette excursion. Elle était donc venue jusqu'ici ! Il comprenait maintenant les absences qu'elle faisait le dimanche, manquant les vêpres. Il se la rappela en toilette de ville, comme aujourd'hui, se dirigeant sans doute vers Ursuya, en cet après-midi de printemps où il allait pêcher à la ligne afin d'échapper aux charmes dont elle l'ensorcelait. Il se souvenait d'un petit panier qu'elle tenait à la main. Il eut un mouvement de dégoût, chassa la vision de tantôt qui lui paraissait revêtir un caractère bestial : ce monsieur et cette paysanne, dans l'atmosphère des troupeaux qu'il avait souvent respirée lorsqu'il allait prendre soin d'eux dans les granges perdues qui dépendaient de Garralda. Et certains détails se précisèrent, qui lui avaient toujours répugné, touchant les mœurs des béliers et des brebis.

En ce moment il se perdait en de vagues pensées, il n'avait pas su apercevoir encore, il n'en fut ébloui que peu à peu, le désert de lumière qui s'ouvrait devant lui dans le fond du ciel même ; plus près, ce blanchissement laiteux dont lui avait parlé Yuana et, plus loin, suspendue dans l'espace, cette voûte noire : la mer. A cette distance on n'entendait pas chanter la coquille irisée du golfe dont l'éclat surpassait celui du soleil. Manech ressentit que son cœur, ainsi que ce flot interminable qui s'évanouissait et reprenait sur la plage, débordait. Il prit dans sa poche son chapelet sous un croûton de pain. Il donnait toute sa foi basque à ces humbles grains depuis que, toute jeune, sa mère les lui avait passés au poignet. Il usait, matin et soir, de ces pauvres mots de bois enseignés par l'Ange au peuple qui verra Dieu. A peine les lèvres de Manech murmuraient-elles, infléchies comme des vagues légères. Il priait cette Vierge dont l'image est partout au pays basque, non point dans les diverses attitudes que l'on s'est plu à lui donner ailleurs, mais dans une plus particulière. Ce n'est point la fiancée qui s'avance vers la maison d'Elisabeth, à travers la plaine d'Esdrelon chargée d'abricotiers, mais la Mère, cette chose infinie qui comprend le cœur tout entier. Elle reposait dans le cœur de Manech comme dans une niche fruste et belle.

Lorsqu'il redescendit, il baignait dans la paix. Dieu et l'Immaculée étaient venus sur la mer aussi bien que dans la légère nuit d'avril, dans le courant du ruisseau fleuri de cardamines, dans l'orageuse et ruisselante nuit d'été. Il n'eût même pas resongé à Yuana ni à son protecteur si, en repassant devant la grange qui les avait abrités, il n'avait donné un regard distrait aux débris du goûter.

Mais il n'en fut pas ainsi de la jeune échappée, à l'égard de Manech. Surprise ainsi, elle éprouva de la honte et un sentiment d'hostilité pour l'homme qui n'avait à ses yeux d'autre prestige que la fortune. Elle eût bien moins souffert dans son amour-propre d'avoir été rencontrée de la sorte en compagnie d'Arnaud. Elle n'en eût pas moins été « la fille de péché », mais elle se serait donné cette excuse de s'être laissée entraîner par un enfant de son âge. Et peut-être que Manech, qu'elle aimait par-dessus tous, en eût conçu plus de dépit que de dégoût. Elle venait de se sentir méprisée à fond, condamnée sans appel par cet être dont la pure beauté la dominait. En l'entendant interpeller près de la grange d'une façon aussi grossière par l'Américain auquel il n'avait pas daigné répondre, une folle rage lui avait serré le cœur. Et la fin de cet après-midi que Manech avait passée si calme, à regarder la mer et à prier, la mit de fort méchante humeur vis-à-vis de son vieil amant. Celui-ci, malgré les frais qu'il fit, dut essuyer cette colère en même temps que les assiettes. Son aversion pour son platonique rival s'en accrut, mais il se réserva de ne régler qu'un peu plus tard cette affaire avec Yuana qui s'emporta jusqu'à le griffer. Il fut quelques jours sans la revoir, se faisant non pas désirer d'elle, mais exploitant sa vanité de jolie fille. Éprise de robes bien coupées, en cela comme dans le reste elle rejoignait les petites Arabes qui cèdent facilement à quelque amulette, à une ceinture, à un flacon d'eau de rose. Ici, l'amulette devenait une montre, la ceinture une jupe, et le flacon d'eau de rose un parfum à la mode. Il semblait qu'elle apportât chaque jour davantage d'acharnement à retirer le plus d'argent possible de cet homme déjà fané. Cela, non seulement pour se prouver sa puissance sur lui, mais encore pour le brimer. Elle ne supportait plus cette union sans une secrète colère qui entretenait la passion que lui inspirait Manech. Arnaud, le sauteur et quelques autres, c'était pour se distraire, elle n'y attachait nulle importance. Du moins ne l'enchaînaient-ils pas avec de l'or.

Au cours de l'un de ces rapides voyages où Yuana l'accompagnait, l'Américain prétexta d'un caprice pour lui signifier ou qu'elle dût renoncer à ses exigences, ou consentir à s'en aller vivre à Bayonne dans un appartement qu'il louerait pour lui rendre visite de temps en temps. Il avait craint de l'opposition, non point des parents de la jeune fille, qui fermaient volontiers les yeux et voulurent trouver naturel qu'elle devînt soi-disant une femme de chambre à gros gages, mais de sa part à elle, qu'il savait éprise de Manech, d'une manière qui l'irritait d'autant plus qu'il ne la comprenait point. Arnaud, il eût encore excusé… Il sentait que ni lui ni les autres n'étaient en puissance de donner à la jeune fille le frisson qui la parcourait à la seule vue du fils de Garralda.

Conseillée par sa futilité, son désir d'être admirée dans les rues et sous les arceaux où l'on prend du chocolat, et guidée par son étourderie de fauvette, elle se laissa installer à Bayonne dans un logement plutôt sommaire. Elle ne revenait que rarement à sa ferme.

IV

L'existence continuait la même à Garralda. L'honneur, la sobriété, l'obéissance à la loi paternelle fondue avec celle de Dieu, y présidaient. Mais bien que Manech ne s'en rendît pas tout à fait compte, ce qui entretenait sa mélancolie, c'était l'arrachement, de ces champs de blé voisins, du beau pavot sombre qu'était Yuana. Ce n'était point qu'il la recherchât, mais il ne l'y retrouvait plus, et la nuance est aussi délicate que possible. Elle revenait dans ses rêves, quoiqu'il fît tout pour bannir le gracieux fantôme.

Sans doute avait-il parlé de son mal au jeune abbé qui le dirigeait et qui avait comme lui la candeur des lis paysans. On les voyait ensemble jouer à la balle ou se promener, sûrs l'un de l'autre, laissant ainsi que des flocons de neige les paroles tomber doucement de leur cœur. Ils se recueillaient sur les collines, au pied des croix des rogations que le printemps recouvre de buis et de soucis, vers lesquelles tout un peuple se dirige au pas de course en répondant aux litanies. Tous deux aimaient ces hauteurs choisies d'où les prêtres bénissent la rose des vents dans la fraîcheur de l'aube. Ils s'arrêtaient auprès des sources vives qu'ils mêlaient à leurs élévations, et tout se faisait prière pour ces âmes contemplatives, et jusqu'à la pelote même qui s'envolait vers le but couleur de brique, telle qu'une petite planète tout encerclée d'azur.

Parfois, devant des fermes semblables à Garralda, ils saluaient quelque Vierge de bois, ils nommaient un missionnaire qui en était parti ou un Américain de retour. La même simplicité régnait dans ces demeures basques. On eût en vain recherché des mystères sous ces toits. Là, croissaient de hautes vertus et, s'il y avait des pécheurs, ils se faisaient repentants et humbles, en redescendant les gazons trop glissants où l'on croyait entendre les clarines elles-mêmes prononcer les mots si doux : « Pais mes brebis, pais mes agneaux. »

C'était le poème vécu, ressemblant jour par jour à l'almanach du colporteur : le soleil, la lune, le beau temps, la pluie, la grêle, la neige, les nuées, les semailles et les récoltes. Et d'abord, les renoncules avaient salué de leurs continuelles révérences les graminées de la prairie. Ensuite, la voix de la batteuse s'était enflée dans la cour de Garralda où les petites sœurs de Manech avaient lutté à bras le corps avec leurs sœurs les gerbes. Il y avait eu le repas où l'on mange la poule au pot, le veau en sauce, le boudin de brebis et les piments. Les voisins y assistaient. Plus d'une fois Yuana y avait pris part. On devinait sa présence lorsque la voix de cuivre des jeunes moissonneurs sonnait plus fort, cependant que son rire leur répondait, brillant comme un coquelicot.

Elle ne viendrait plus maintenant, celle qui égayait les vieillards eux-mêmes. En la voyant, il leur semblait revivre leur adolescence, chausser de blanches sandales pour danser sous les chênes luisants, au son d'une musique naïve et confuse, dont le vent brise les éclats. Eux, en apprenant son départ pour Bayonne, avaient hoché la tête. Elle s'en était allée avec la belle saison.

———

Une singulière solitude pesait sur le cœur de Manech tandis que l'année s'avançait. Mais cette solitude même n'allait pas sans un redoublement d'angoisse. Ne lui avait-elle pas jeté un sort ? Elle avait su lui dire certains mots, le regarder d'une certaine manière. Pour exorciser son ombre, il lui arrivait de faire le signe de la croix, et aussi de s'exposer encore aux éléments dans la violence des attaques. Il recourait à ces remèdes afin d'apaiser une fièvre dont la nature l'inquiétait comme d'une présence diabolique. Il redoutait bien moins que le fantôme de la nuit le fantôme du jour. Il savait que, pour conjurer celui-ci, il suffisait d'une promenade vers le moulin, de regarder couler l'eau du torrent dont il avait reçu un si doux bienfait quand la cardamine était en fleurs.

———

Il trouvait maintenant, à la place des fraîches corolles, lorsqu'il allait s'asseoir sur le mur en ruine, la fille la plus jeune du meunier.

———

Elle avait quatorze ans. Elle se nommait Kattalin. Elle était encore une enfant qui, à la saison nouvelle, dépouille de son écorce, pour en faire un sifflet, le bois tendre de l'aulne ou du peuplier. Elle était rousse et bleue, telle qu'une poignée de froment que la faulx rase en y mêlant deux campanules. Elle courait nu-pieds, dépeignée, après le bétail et les canards, mordant avec des dents sans ombre à la chair neigeuse des pommes ou dans un lourd morceau de pain. Elle n'avait rien de commun avec Yuana qui, trois ou quatre ans plus tôt, au même âge, était déjà comme la palombe fougueuse, au col changeant, qui fait naître la guerre dans la forêt où elle roucoule. Kattalin n'était que l'humble bergeronnette qui longe sans bruit la berge sableuse et caillouteuse. Rien ne l'avait le moins du monde émue. Elle était faite d'innocence et portait aux garçons de son âge, qui grimpaient avec elle aux arbres, la même amitié qu'à ses compagnes. Au catéchisme, on lui avait parlé de la vertu de modestie. Elle en avait retenu que, pour assister aux offices, il lui fallait enfermer, en des bas tricotés par sa mère, ses jambes aux hâles d'or, jeter une mantille sur la paille de ses cheveux rétifs. Elle regardait tout avec simplicité. Elle s'intéressait aux mules qui traînent les chariots du moulin, à l'entrée des sacs de blé, à la sortie de la farine qui souvent la poudrait ; au départ d'une génisse pour le marché ; au prix qu'on en avait retiré ; à la recherche des œufs ; aux couvées dans le foin des étables ; à la bonne cuisson de la soupe qu'elle allait servir aux hommes quand ils désertaient un moment le blutage pour les travaux pressés des champs. Elle était née dans le bruit d'argent des roues qui déchirent l'eau claire. Dès son premier jour, elle en avait été bercée. La rivière lui parlait comme une nourrice qui montre des images : la truite qui se dissimule en chassant, dont on doute si elle n'est qu'une ombre sur les galets et qui happe la sauterelle et le grillon ; les petites lamproies qui ondulent sur place et que l'on confond avec les herbes submergées ; les légions d'alevins, pareils à de courtes épingles ; les insectes savetiers, si légers qu'ils marchent à la surface sans enfoncer ; le rat qui glisse, plonge et ressort ; la poule d'eau qui s'envole en faisant jaillir des perles, et en laissant à peine admirer le jade de ses pattes ensoleillées ; la nacre, plus belle que tous les arcs-en-ciel, de la grosse moule d'eau douce ; les aulnes qui poissent les doigts, mais dont l'ombre est reposante.

Manech disait à Kattalin :

— Je crois que tu passes ta vie au bord du ruisseau.

Elle disait :

— Oui, plutôt que de lire et d'écrire, j'aime mieux faire briller le cuivre des chaudrons avec le sable. Je suis heureuse lorsque je vois le soleil danser dedans. On ne peut pas le regarder longtemps.

Il disait :

— L'oiseau-bleu qui vient de passer est celui qui va le plus vite. As-tu jamais vu son nid ?

Elle disait :

— Il fait son nid au fond de la Joyeuse où il emporte du ciel sous ses ailes. Là, il pond et il couve ses œufs. Il se bat avec les anguilles.

Il disait :

— Ton père et tes frères sont habiles à pêcher la truite. Moi, avec cette gaule, je n'attrape rien que de tout petits poissons qui sont amers au goût. Je suis un maladroit.

Elle disait :

— Non, tu n'es pas un maladroit. Ta réputation de pilotari est venue jusqu'à notre moulin. Tu as battu, le même jour, un monsieur d'Amérique et Arnaud le postillon. Je le sais. Mais tu as l'air triste, et tu ne joues presque plus.

Il disait :

— Je n'aime pas jouer avec ceux qui y mettent de la malice. Je joue avec monsieur l'abbé du patronage.

Elle disait :

— C'est lui qui m'a fait apprendre le catéchisme. Il sait comment on fait la farine, parce qu'il est, comme moi, l'enfant d'un meunier, du meunier de Hélette.

Il disait :

— Je le sais.

Elle disait :

— Il vient quelquefois à notre moulin pour voir ma grand'mère qui ne se lève plus. Il lui a apporté plusieurs fois la sainte communion.

Il disait :

— Je le sais, et je sais encore que ton père lui a fait don d'un sac de farine pour que les religieuses préparent les hosties.

Elle disait :

— Et ton père a donné du vin et deux agneaux à monsieur le curé.

Il disait :

— On ne parle pas de ce que l'on donne, mais mon père est juste.

Elle disait :

— On ne voit plus Yuana. Elle venait parfois jusqu'ici. Elle échangeait avec moi des sucres d'orge contre du miel de nos ruches. Elle est gourmande, on dit qu'elle est placée à la ville.

Il disait :

— Peut-être. Il y en a qui s'en vont. Il y en a qui restent.

Elle disait :

— Est-ce que tu voudrais partir ?

Il ne répondit pas. Un grand frisson le parcourut, tel que celui qui ride la surface de la mer. Il regardait cette campagne pareille à il y a des mille ans. Il regardait la rivière. Il regardait Ursuya qui s'allongeait dans la nacre du ciel comme un promontoire attentif aux nefs des nuages. Il sentit les racines de son cœur se nouer plus fortement à ce sein maternel, dans cet amour qu'il portait à sa terre naïve et fruste, à ceux qui l'y avaient engendré, à ses frères et sœurs, à Yuana peut-être, peut-être à Kattalin. Mais, en même temps, il entendait le même appel que les oiseaux sauvages quand leur aile est agitée par le souffle des expatriements. Ainsi, sur le bord de son nid qu'il a rempli de sa tendresse et de ses plumes, le blanc voilier. Il cède à l'attrait de sa douleur. Il part, et ce qui fait son cercle si doux autour du monde, c'est qu'avant de s'en aller il a songé à revenir.

Ils poursuivaient la même pensée.

———

— On trouve de l'or aux Amériques, reprit-elle ; on le ramasse dans la rivière comme ici les cailloux.

———

Il avait fait ce rêve d'être riche, qui hante chaque Basque et le pousse aux lointaines aventures. Cette âme étrange, douce et mystique, était possédée et fascinée par le métal qui se soumet les choses de la terre. Ah ! il savait bien, s'il la réalisait jamais, à quoi il emploierait sa fortune. Il ferait bâtir un trinquet où il n'inviterait que tel et tel. Il se ferait faire un costume à Bayonne, et il porterait une montre qui sonne les heures et marque les jours de la semaine. Il se rendrait en voiture ici et là pour assister aux parties de longue ou de blaid. Mais au mariage il ne songeait pas, il n'avait jamais songé, songerait-il jamais ?

Le voyant absorbé, le regard fixé sur le liège qu'il abandonnait au courant, elle rompit de nouveau le silence :

———

— Si tu vas aux Amériques et si tu en reviens riche, Manech, tu seras fier et tu ne me parleras plus. Tu ne fréquenteras que des élégantes comme Yuana.

———

Elle disait cela sans malice aucune, sans le moindre soupçon, simplement parce qu'elle avait été éblouie par les robes de sa voisine. Cependant il en éprouva du malaise. L'ombre de Yuana, évoquée par ces simples mots, rida l'eau pure.

———

Il dit :

— Laisse-moi, Kattalin !

Et, triste de le sentir fâché, elle s'en alla tenant sa petite gaule et poussant ses canards devant elle.

Manech ne revit plus, jusqu'à la Toussaint, Yuana qui ne manqua pas de se rendre alors sur la tombe de ses parents.

Le cimetière basque est si simple, si beau, qu'on ne saurait concevoir un lieu où les vivants communient davantage avec les morts. Là, rien ne cherche à masquer la vérité. La terre est celle du jardin d'à côté, seulement un peu plus fleurie. Les plus vieilles tombes sont surmontées de disques de pierre dont on dirait, à la nuit tombante, de têtes dressées hors du sol, image peut-être de la résurrection. Sur ces disques sont gravés des signes du zodiaque, signifiant sans doute le Ciel, et des objets ayant trait aux professions : un marteau, une quenouille, une arbalète, une pelote. Les sépultures les plus récentes, surchargées de lettres et d'ornements noirs, ressemblent à d'étranges faire-part. Ce peuple attend la renaissance des cendres, plus fermement qu'il ne compte sur la poussée des chênes. Les inhumations ont lieu sans phrases. Les capes des affligés retombent sans qu'aucun geste en dérange les plis. Seule révèle quelque signe extérieur de sensibilité l'étroite caisse blanche à galons d'argent qu'un fossoyeur emporte sous le bras, telle qu'une boîte à dragées, et dans laquelle la jeune mère en pleurs a couché son enfant. Parmi les tertres, les cierges laissent ruisseler leur cire en cette fête des élus. Çà et là des sièges où les vivants continuent de causer avec ceux qui, fatigués du grand soleil, se sont étendus dans la nuit.

Les tombes des êtres qui vécurent à Garralda et la tombe des parents de Yuana étaient adossées. Mais quel contraste ! Les hôtes de Garralda conservaient, jusque sur leur dernière demeure, cette distance, cet ordre, cette fierté de la noblesse paysanne, qui se lisent sur le marbre en caractères profonds et réguliers. Plusieurs desservants et personnages municipaux y figuraient.

Devant cette table de pierre qui témoignait pour sa race, Manech se tenait debout. Il priait. Lorsqu'il releva son visage, il vit Yuana en face de lui, sa chevelure plus sombre que sa mantille.

Ainsi que Manech, elle était devant ses morts. De tout temps, les siens avaient été un peu des miséreux, des fermiers qui n'ont pas réussi. Les noms gravés sur leurs tombes étaient rares, les dates récentes. L'origine suspecte n'était pas éloignée, croyait-on. Et, d'ailleurs, n'assurait-on pas que, jusqu'à ces dernières années, on n'entendait jamais dire qu'un seul des Bohémiens eût trépassé ? Le démon leur prêtait-il, afin de les mieux damner, une survie singulière, ou bien leur clan confiait-il ses ossements aux secrets des vallons boisés qui s'attachent aux flancs d'Ursuya ? Avaient-ils possédé même un nom, ces ancêtres mal vus, ces parasites, ces empoisonneurs de porcs et de poissons, ces tresseurs de paniers, ces diseurs de bonne aventure, jusqu'à ce que l'alliance, bien rare avec de vrais Basques, eût conféré un état civil à leur lignée ? Tel avait été le cas de la famille maternelle de Yuana. Et c'est pourquoi, dans la contrée, un singulier mépris pesait même sur la jolie descendante des disciples de Mahomet, encore que jeunes et vieux se montrassent à l'occasion épris de son enjouement.

Là, sur la pauvre fosse de ses parents les plus avouables, en face de Manech, au cours de ce triste après-midi qui se clôt par les pleurs espacés du glas, elle se sentait jugée. Son sang de rose rouge, presque noire, était indigne, pensait-elle, de se mêler, dans cette terre sainte, au sang clair qui donnait à Manech ce teint d'églantine à l'aube. Elle eut honte d'elle-même. Et cette honte ne fit qu'accroître, dans son cœur de petite esclave, l'amour et la déférence qu'elle vouait à Manech. Le coup d'œil qu'il lui lança était chargé d'orgueil et de reproche, mais le regard ne parle pas toujours le même langage que l'âme. Il se signa devant la tombe de Garralda, qui était pour lui comme un titre d'honneur et, tournant le dos à Yuana, sans lui accorder d'autre attention, il s'en alla.

A quelques semaines de là, Arnaud et lui se rencontrèrent. Ils avaient recommencé de jouer ensemble, en assez bons camarades, depuis que Yuana n'habitait plus sa ferme. Leur rivalité n'était plus hargneuse, d'autant moins que leurs victoires s'égalisaient, et que l'Américain, préoccupé par ailleurs, ne les excitait plus l'un contre l'autre.

Arnaud dit à Manech :

— Tu sais… Yuana ?

— Eh bien ?

—Elle a quitté le vieux et s'est mise avec un danseur qui fait la contrebande à Ainhoa.

Manech avait compris.

Arnaud ajouta :

—Elle m'a donné de l'eau-de-vie et du tabac.

Yuana avait dit à Arnaud qui l'avait rencontrée à Espelette :

—Puisque tu conduis le courrier qui dessert Espelette, tu ferais mieux d'y demeurer que d'y venir en passant. J'habite tout près, Ainhoa. Je m'y trouve fort bien. Je m'y suis mariée.

Elle donnait à ce dernier mot un sens libre, mais le jeune postillon ne prit pas le change.

Elle eut un silence, puis :

—Si tu avais encore tes père et mère là-bas, je le comprendrais. Mais puisque tu es seul ! Ainhoa est à deux kilomètres de la frontière. On y peut faire la contrebande qui rapporte beaucoup sans nuire à une autre profession que l'on peut exercer. Ainsi il y a des gens qui labourent ; ils conviennent de prendre en charge, à un endroit déterminé, sous un rocher, dans la fougère, des bidons d'alcool ou des ballots que les Espagnols y déposent. Ou bien ce sont les Français qui leur amènent des chevaux de Souraïde ou de Louhossoa. Mais, l'autre jour, deux étalons se sont enfuis dans la montagne et, comme nous les poursuivions, on nous a tiré dessus.

—Tu étais donc avec les contrebandiers ?

—Oui ; souvent, j'accompagne mon mari et les autres qui passent les marchandises pendant que je fais causer les douaniers qui sont une mauvaise race. Tout de même, nous sommes bien organisés contre eux. La garde a beau surveiller la vallée, nos hommes se cachent dans les sentiers. Et si tu savais, à la moindre alerte, comme ils sifflent. Mais, souvent, il faut abandonner les allumettes, le raisin, la soie, tout ce qui s'ensuit, à ces démons bleus et rouges dont le pays est infesté. On croirait qu'ils sortent de terre. Jour et nuit, ils épient. On dirait de chatards en train de guetter des palombes. Comme si nous étions un gibier ! Si toi, Arnaud, tu faisais le service d'Ainhoa, d'accord avec notre parti, tu nous rendrais bien des services, tu gagnerais de l'argent et je serais heureuse de ne pas vivre loin de toi. Si tu veux me suivre à l'auberge qui est là, je le donnerai du rhum et des cigares que j'ai rapportés sous ma robe.

Arnaud avait considéré le costume de Yuana. Elle n'était plus l'élégante de naguère. La Bohémienne avait repris le dessus. Une jupe, cousue dans une sorte d'indienne à fleurs encore voyantes, mais frippée, boueuse, effilochée, qui descendait en s'évasant sur des bas blancs et de mauvaises bottines, lui restituait cette forme inimitable de ses pareilles dont les hanches roulent au moindre effort. On comprenait que la jeune fille était tombée fort bas en peu de temps. Les mèches de ses cheveux, qui n'étaient que folles, étaient maintenant crispées et nouées, et elle les avait ointes de je ne sais quelle huile rance qui sentait le jasmin. Dans son cœur violent comme le grenadier, il y avait un nom, un nom qu'elle aurait voulu faire s'envoler de ses lèvres. Mais, ayant éprouvé dans les bois la jalousie d'Arnaud, elle n'osa lui demander des nouvelles de Manech.

V

Il est difficile de savoir exactement ce qui se passa au printemps qui suivit. Mais Arnaud, quelques semaines après son installation à Espelette, fut arrêté et emprisonné en compagnie du soi-disant mari de Yuana. Celle-ci revint alors chez ses parents qui l'accueillirent sans surprise ni reproche. Elle seule semblait éprouver quelque honte d'avoir, en si peu de mois, changé de sort et de pays. Elle ne se rendait plus au village où l'Américain la boudait en la méprisant. Et même, on ne la voyait plus que rarement se promener autour de sa ferme et de Garralda.

En passant par un bois, Manech un jour l'aperçut, mais il ne lui adressa point la parole ni elle à lui : elle se tenait debout, nu-pieds, les mains croisées derrière le dos, contre une grange. Sa famille était de plus en plus pauvre, elle sans ressources. Elle portait toujours les mêmes hardes bariolées qu'à Ainhoa. La jupe évasée accusait davantage encore son allure de Bohémienne, lui donnait l'air d'un liseron déchiré par les épines. En l'approchant, on se serait étonné qu'en si peu de semaines la rondeur brune et ferme de ses joues eût fait place à la maigreur et à la pâleur, et que ses yeux si jeunes se fussent creusés et cernés. C'est qu'elle avait vécu une rude misère, son danseur et Arnaud se réservant de dépenser, en d'autres compagnies que la sienne, les profits de leur commerce auquel pourtant elle aidait. Ce triste état avait fait naître en elle une sorte de dévotion superstitieuse et désolée. Sans toutefois recevoir les sacrements, elle s'était agenouillée en larmes dans l'église d'Ainhoa. Devant les lis de Marie, elle avait mêlé à ses pauvres prières ignorantes, à des essais de contrition, le souvenir si pur de Manech. Mais aujourd'hui, revenue au pays, elle n'osait plus, se sentant réprouvée, franchir le seuil de la paroisse.

Au contraire, la piété de Manech s'affirmait davantage, dirigée par l'humble vicaire. On eût dit plutôt deux frères que deux camarades. Et, à la procession de la Fête-Dieu qui se déroulait en ce moment dans les fleurs, les fumées de l'encens, les chants ; l'orage des tambours et des cuivres, la forêt bleue et blanche du ciel, le jeune diacre doré, escortant l'Hostie transparente, était aussi ravi de savoir l'enfant du patronage mêlé à l'averse des roses, que celui-ci l'était de sentir tout près du Seigneur cet autre enfant vêtu de lin presbytéral. Mais l'abbé, qui avait eu la vocation religieuse tout petit, ne pensait point que Manech l'eût aucunement et, sans doute, son opinion s'appuyait-elle sur la grâce de lire dans un cœur qui s'ignorait Lui-même.

Il lui disait :

— Manech, il te faudra épouser Kattalin du moulin. Elle est encore bien jeune, mais vos âges correspondent. Elle est déjà vaillante. Elle tiendra ton ménage. Elle sait déjà faire la soupe, soigner les bêtes. Elle est la plus intelligente du catéchisme de persévérance. Ses parents ne sont pas sans rien. Ils pourront lui donner en dot la prairie où passe la rivière…

Et cette rivière était celle qui, naguère, lorsqu'il était troublé par Yuana, versait à Manech, avec ses fraîches fleurs, une telle paix.

… Vous pourrez, avec le pacage, augmenter le bétail. Votre famille sera nombreuse. On te respectera. Tes père et mère sont dévoués à l'Église, autant que les parents de Kattalin. Tu seras conseiller municipal, peut-être. Tu continueras la maison.

Manech ne répondait pas.

Aux environs de la Saint-Jean-Baptiste, qui est le patron basque, une réunion de patronage fit se rendre à Bayonne Manech et l'abbé. Elle eut lieu dans la matinée. Après quoi, ils déjeunèrent tous deux chez une vieille femme, qui était originaire de leur village, et qui leur demanda s'ils avaient des nouvelles de Yuana. Ils ne lui répondirent point. Elle feignit beaucoup de mépris à son égard, voulant se justifier de l'avoir logée quelque temps, chose qu'ils ignoraient. Elle les assura que le congé qu'elle lui avait donné avait délivré sa maison de la présence du diable. Cette explication gêna Manech et l'abbé qui dépêchèrent leur mauvais repas. Un dégoût sans nom souleva le cœur de Manech lorsque cette loueuse clandestine leur montra, avec une feinte indignation, au moment qu'ils se retiraient, la chambre qu'avait occupée la fille. Le fantôme de celle-ci ne se dressa pas ardent, comme tant de fois, devant lui. Mais il se sentit atteint d'une façon plus terrible peut-être : le vide se fit dans son âme.

L'abbé comprit que Manech passait par un cruel moment. Alors, pour le distraire de ce choc, il l'entraîna vers un tramway qui les conduisit à la plage.

En présence des flots, Manech fut changé ; un sourire éclaira sa face. Que se passait-il dans ce front qu'entourait toujours soigneusement, sans le cacher, l'étroit berret ? Quel invisible et purifiant baiser la mer donnait-elle à cet enfant ? De quels bras, de quels regards l'enveloppait-elle ? D'où venaient cette filiation et cette maternité mystérieuses qui s'étaient révélées à lui, brusquement, un jour, et qui s'étaient confirmées en haut d'Ursuya, lorsqu'un amour divin lui avait versé l'oubli de ce qui se passait au pied de la montagne ?

Des paquets d'eau poussaient en avant leurs gerbes de chrysanthèmes et d'anémones de mer. Sa lèvre était salée. Il aspirait l'arôme du fenouil des falaises. L'étendue d'eau basculait, d'un poids qui semblait entraîner le monde, verte ou jaune ou bleue, ou argentée, selon la distance et les courants. De légers nuages, pareils à des pétales de roses du Bengale, montaient à l'horizon. Et, toujours, s'entendaient, confondus ou distincts, cette voix de tonnerre assourdissante et houleuse, ce grésillement de petites bulles qui crèvent sur le sable, ces sourdes détonations. Et l'on voyait, blancs et souples comme des flocons de fumée, des oiseaux s'en aller en hâte vers un devoir éternel.

L'abbé contemplait aussi. Mais, tandis que chez l'un, une soif d'inconnu, le mirage de fortunes conquises, semblaient au spectacle, chez l'autre, au même instant, la foi faisait naître cette pensée que les apôtres n'avaient point hésité à reconnaître, pour créateur de ces merveilles, l'humble Fils de l'Homme qui les accompagnait dans leurs barques.

Le temps pressait. Quand ils revinrent à Bayonne, pour rejoindre les camarades et regagner avec eux le village, le jour était encore clair. Ils se retrouvèrent dans le quartier basque du petit port, si pittoresque avec ses rues étroites, ses auberges basses, ses magasins pour pêcheurs et matelots, son va-et-vient de camions, ses courriers desservant l'intérieur du pays.

En repassant devant la maison qu'avait habitée Yuana, et qu'il ne songea même pas à regarder, Manech vit sur le trottoir passer un petit marin au col bleu. Il marchait en se balançant d'un air avantageux, de l'or à son berret. Il suffit, pour que toute la passion de Manech cristallisât. Dès lors il se prépara à devancer l'appel en entrant dans la flotte.

Son père n'y fit point obstacle, l'abbé non plus ; mais ce dernier lui dit :

— Manech, tu es mon frère. Absent, tu penseras au pays. Tu n'oublieras pas Bonloc, tu n'oublieras pas Sohano, ni Celhay, ni Hasquette. Tu n'oublieras pas les petits rebots où l'on joue le dimanche, au soir tombant, après qu'on a servi Dieu. Tu n'oublieras pas les cerises d'Ayherre. Tu n'oublieras pas les cascarots qui, au son d'un sifflet, dansent en déployant les drapeaux de nos provinces. Tu n'oublieras pas les vieux Harambure et Bordachoury. Tu n'oublieras pas les vieilles Gachoucha et Maïana. Tu n'oublieras pas l'honneur de Garralda. Manech, tu ne m'oublieras pas. Manech, tu n'oublieras pas Kattalin. Elle restera pour toi comme l'eau de la vallée.

————————————

Il disait à Manech cela sous les chênes de Garralda. Il fut un nom qu'il ne prononça pas. Mais, à quelques mètres d'eux, Yuana passait entre les arbres.

————————————

Manech, demeuré seul, erra un moment, puis revint vers la ferme de son père. A cette heure indécise où la lune se confond avec le soleil, la maison se dressait devant lui. Comme d'un vaste oiseau de mer, les grandes ailes du toit semblaient prendre l'essor. Elle eût voulu partir aussi. Elle se détachait. Et, avec elle, se détachait Manech.

————————————

— Va-t'en, mon enfant, disait la maison. Va-t'en à ma place, si je suis trop âgée pour te suivre. Et puis tu reviendras...

————————————

En ces quelques mots tenait toute la formule basque. Manech ne quittait plus des yeux le grand oiseau blanc qui lui ordonnait de tout quitter, qui semblait craindre que les paroles de l'abbé n'eussent, par leur écho, amolli son courage.

————————————

Alors le père ? Alors la mère ? Alors les frères et sœurs ? Alors son ami ? Alors...

————————————

... Alors, un nom s'arrêta sur sa lèvre. Qu'était-ce ?

————————————

Yuana, telle qu'il l'avait vue tout à l'heure, ressortait de sa ferme, mais cette fois entre deux gendarmes qu'il n'avait pas vus venir.

————————————

C'était donc vrai, ces choses qu'il n'avait pas voulu entendre, que l'on murmurait au marché avant-hier ?

Elle passait, se tordant les mains. Levant son visage, elle l'aperçut, et, après avoir poussé l'antique cri de défi, qui sanglota longtemps, de ses poings qu'elle joignit elle lui envoya un baiser en lui disant :

— Pardonne à la fille de péché ! Aie pitié de moi, Manech !

Il rentra. Dans sa chambre, il s'agenouilla priant et pleurant. Il partirait. Il irait loin, très loin, sur les chemins déjà parcourus par les Basques ; loin, plus loin encore, jusqu'à ce que l'oiseau blanc de Garralda ne le vît plus.

Il n'aurait pas besoin de se faire tatouer un cœur bleu sur la poitrine, comme avaient fait, au Japon, Erramoun, Sauveur et Célestin. Il avait un cœur, et, dans ce cœur, se dressait sa première croix.

VI

Manech contracta, en 1897, un engagement, de cinq ans dans la marine. Il prit part, en 1900, à l'action internationale dirigée contre les Boxers autour de Pékin. Il montait alors *Le Jaguar*, et il eut, au retour de cette campagne, l'occasion de revoir, à Changhaï, où le cuirassé fit escale, son oncle Jean-Baptiste le missionnaire.

Un de mes amis, consul dans ces parages, put faciliter cette rencontre à Manech que je lui avais recommandé. Le matelot comptait alors vingt-deux ans, et il y en avait douze que l'apôtre n'avait revu sa patrie et Garralda. Ils ne se fussent point reconnus. L'oncle très vieilli, épuisé par la fièvre, les crises hépatiques, les fatigues endurées sur les jonques. Son teint tirait sur le bambou jaune, sa barbe était blanche et rare. Le neveu était, au contraire, dans toute sa force. Et, de le revoir ainsi beau, libre, le regard sûr, le missionnaire sentait son cœur s'emplir de fierté :

— Toi ? répétait-il, toi ? Manech ! C'est toi ?

Et, de ses paupières rougies par les insomnies, glissaient des larmes. Et il retenait, entre ses doigts décharnés, les mains vives du jeune homme.

— Depuis ta première communion, Manech, depuis ta première communion je ne t'avais point revu. On m'a si peu écrit de Garralda ! On néglige ceux qui sont loin. Et puis, je sais combien la vie des champs est absorbante. Ton père, ta mère, est ce qu'ils vont bien ? Et les petits ? O mon Dieu !...

Manech répondait :

— Il y a trois ans que je me suis engagé. Pendant ce temps, je ne les ai revus que deux fois, en permission. Le père est vaillant toujours, la mère avait un mal. On l'a opérée ; elle va joliment.

— Dis-moi, Manech, est-ce que tu es toujours aussi pieux ?

— Je l'espère, mon oncle.

— Est-ce que les affaires vont bien à Garralda ?

— Oui. Le froment et le foin ont donné beaucoup l'année dernière. Mais il a fallu payer l'opération.

— Tu t'ennuyais donc à la maison, que tu aies devancé l'appel dans la marine ?

— Non, mais c'est une idée que j'avais de partir.

— Manech, il est meilleur de rester au pays, de s'asseoir sous le noyer après la moisson, avant souper, quand les grillons crient près du four. C'est bon à moi de m'être exilé si loin. Le Bon Dieu l'ordonnait. Mais toi ?

— Je voulais m'en aller sur la mer.

— Quand je regarde ce pays jaune, il m'arrive de fermer les yeux pour penser à tout ce qu'on voit de Garralda. Je rêve souvent que je suis tout petit, que je reviens de l'école, que je porte encore mes livres dans un sac de toile. Au-dessus de la rue, dans le ciel, est posé Ursuya. Est-ce que l'on a amené en ville l'eau d'Ursuya ?

— Non, pas encore.

— Dis-moi, Manech... dis-moi... tu vois, je voudrais tout apprendre en même temps... je voudrais avoir un cœur assez grand pour y enfermer le pays. Qui vit encore là-bas ? Le vieux Larronde est-il mort ?

— Il est mort.

— Et monsieur Haristoy ?

— Il est mort.

— Et l'ancien curé de Labastide, monsieur Etchegaray ?

— Il est mort.

— Et ceux du moulin ?

— La grand'mère est morte l'an dernier. Depuis votre départ, il y a une petite Kattalin qui est déjà bien raisonnable.

— Et ceux qui étaient dans la ferme où il y a le gros tilleul, entre le ruisseau et Garralda ? Il y avait une si jolie petite fille... Rappelle-moi son nom ?... Ah ! Yuana, c'est Yuana qu'on la nommait...

Manech ne répondit pas. L'oncle, pressé par tant de questions qu'il voulait faire, reprit, sans insister.

— Dis-moi ? Tu as laissé de bons amis là-bas ?

— Avec monsieur l'abbé, le fils du meunier de Hélette, nous sommes comme deux frères.

— Hélette !… la seule fois que j'y suis allé, il me semble que c'est d'hier. Il y avait, sur le bord de la route, beaucoup de cerisiers chargés de fruits. C'était par un jour de grande chaleur, j'avais sept ans. Sous un arbre, j'avais trouvé un geai bien bleu. Je l'avais rapporté à Garralda. C'est le lendemain que mourut notre mère, sans qu'on s'y attendît. Ce sont des souvenirs comme ça qui entrent dans le cœur de l'homme pour n'en sortir jamais. Hélette… O Manech ! Tu t'en retourneras vivre au pays ! C'est trop dur de faire comme moi si l'on n'a pas la vocation, d'être enfoui dans un sol étranger, ou jeté dans un fleuve par de mauvais Chinois. Mais toi, Manech, il faut t'en retourner à Garralda. Tu aimeras une enfant sage qui garde notre honneur. Ah ! Manech, baiser les tombes où reposent nos prêtres ! La terre où l'on dort est froide quand elle n'est pas du pays ! Je ne devrais pas te dire cela, Manech, moi qui suis un pauvre serviteur de Dieu, qui accepte à l'avance ma sépulture… Manech, dis-moi encore ? Est-ce qu'il y a toujours la vigne sur le coteau de Garralda ?

— Toujours.

— Manech, est-ce qu'il y a encore, dans le potager, la tonnelle où les anciens venaient s'asseoir le dimanche et boire du vin d'Irouléguy ? C'est un matin, en y entrant après la messe, que j'ai songé à devenir missionnaire. J'avais dix ans.

———————

Et Manech songeait que, sous cette même tonnelle, il avait cherché et trouvé dans la nuit qu'enchantait le rossignol l'apaisement de son mal. Mais, poussé par le vent mystérieux qui gonfle comme une voile l'âme de sa race, il répondait :

— J'ai encore deux ans de service à faire. Mais quand je serai libéré de la flotte, je partirai pour les Amériques. J'emporterai l'argent que j'ai économisé. Je ferai fortune. Et alors je reviendrai.

Et le missionnaire s'essuyait les yeux et lui disait :

— O Basque !

———————

Manech ne devait plus revoir l'oncle Jean-Baptiste. Celui-ci, comme si l'avait accablé une émotion aussi violente, celle d'avoir revu son neveu, ne put regagner sa pauvre paroisse de Han-Kéou, s'alita le soir même de cette rencontre, dut être transporté à l'Hospitalité française, tandis que *Le Jaguar* reprenait le large.

Le consul, ayant été avisé de la grave indisposition du missionnaire, alla le visiter à son lit d'agonie. Le malade lui parla d'abord de ses angoisses touchant ses catéchumènes, du chagrin qu'il avait de penser qu'il ne verrait pas, vivant, s'élever l'église de Téhé-Fang-Koo sur la terre arrosée de sang chrétien. Après quoi, le délire le prit, mais un délire si doux que le consul et la religieuse qui l'assistaient ne purent retenir leurs larmes. Ce saint prêtre se revoyait enfant dans la campagne autour de Garralda, et l'épisode qu'il avait conté l'avant-veille à Manech, de cet oiseau bleu trouvé sous un cerisier, peu d'heures avant la mort de sa mère, revivait dans sa mémoire. Il causait avec de petits Basques, il buvait avec eux à une source près de Hélette, mais il craignait que l'oiseau bleu ne s'envolât. Puis la figure du moribond s'illumina. Il se mit à chanter, et son chant n'était, d'après ce que l'on m'a rapporté, que la mélopée qui sert à marquer les points au jeu de paume. Qu'il fait chaud, mais qu'il fait beau ! disait-il. Son œil fixe regardait peut-être monter vers le zénith éternel la pelote du village natal. Il prononça brusquement ce mot :

— L'angelus !

Et il fit le signe de tout son peuple qui, au premier tintement, se découvre pour saluer Marie. Il était avec ses vieux.

L'escadre de la Méditerranée ayant rejoint Toulon, Manech, avant qu'il lui fût permis d'aller revoir les siens, ne quitta guère cette ville que pour se rendre parfois à Marseille avec des camarades de bord.

Trois ans et plus de navigation, de descentes à terre parmi les cités où la débauche s'exalte, n'avaient point maintenu Manech dans son ignorance. Mais le sens de l'amour divin, sa ferveur, l'avaient laissé le même, loin toujours pratiquement des femmes. Les prêtres du pays basque savent combien il est fréquent de rencontrer, dans leurs campagnes, des jeunes gens jaloux de leur pureté, alors que d'autres y mènent l'idylle à la façon de Daphnis et Chloé. Il arrive même que plus d'un vieillisse dans son austère célibat, faisant pénitence et, avant de se coucher, récitant son rosaire après avoir dénombré ses moutons, retourné la litière de ses vaches.

Manech avait compris que la fièvre dont son adolescence s'était montrée inquiète était commune à tous les hommes, et que ceux-ci ne la traitaient pas en général comme il avait fait lorsqu'il fuyait jusqu'au fantôme de Yuana. Les fleurs, ni la brise, ni l'eau, ni la mer, ne leur apportent, hélas ! le calme qu'elles avaient rendu à Manech. Il était maintenant délivré de l'angoissant mystère que, jusqu'à un âge singulièrement avancé, il n'avait pas éclairci. Il n'était que plus ferme dans sa volonté.

Dans les petits bars naïfs et brutaux, reluisants de gravures toutes crues, sous l'aveuglant éclat de l'électricité, du gaz ou de l'acétylène, il avait, trois ou quatre fois, considéré avec dédain, en buvant des bocks en compagnie de camarades, les filles fardées et dévêtues qui s'asseyaient à leurs places, ou qui jouaient de l'orgue de Barbarie. Il avait repoussé les plus audacieuses avec un tel air qu'elles auraient pu croire, en regardant sa figure de jeune prince, qui ne s'était jamais laissée effleurer, que, revenant d'Orient, il y possédait les houris les plus séduisantes. Qu'il était loin de leur pensée ! Il se fit un jour un rapprochement dans son esprit d'une de ces malheureuses, qui était brune et jolie, avec Yuana à laquelle il ne songeait presque jamais plus. Il paya les consommations, assujettit son berret, fourra les mains dans ses poches, et ressortit après avoir déclaré qu'il ne remettrait plus les pieds dans de pareilles boîtes. Ses camarades ne l'en raillèrent point. Il s'était imposé à eux par sa force physique, sa beauté qui retenait l'attention des femmes, toute dirigée vers lui, un certain haussement d'épaule, son regard tranquille et dominateur, et cette langue bizarre dans laquelle parfois ils l'avaient entendu chanter.

Dès lors, à Toulon comme à Marseille, Manech se promena plutôt seul, parfois avec un compagnon qui prenait avec lui ses repas dans une maison dite *du marin*. Elle était tenue par un Jésuite qui s'efforçait d'enlever aux tenanciers, qui les soûlaient pour les plumer ensuite, et aux raccrocheuses, tous ces petits merles marins faciles à prendre au panneau.

C'est à Toulon que Manech apprit, par quelques lignes de Garralda, la mort de l'oncle Jean-Baptiste. Il la ressentit profondément, mais personne autour de lui ne put se douter de son chagrin, parce que le même enfant qui dissimulait ses émotions les plus vives, le même adolescent qui ne parlait à ses proches ni de ses victoires ni de ses défaites au jeu de paume, et qui ne confiait qu'à Dieu et à la nature les combats qui se livraient en lui, se perpétuait dans le jeune homme d'aujourd'hui.

Pas davantage il n'avait fait part à son oncle et à ses parents d'un fait de guerre qui l'avait signalé à ses chefs. Et, sans la médaille qu'il porta dans la suite, nul ne se fût douté de son héroïsme. Était-ce orgueil ou modestie ? Le Basque pose l'énigme et ne laisse rien voir que son apparente indifférence.

Le début de ce printemps mil neuf cent un fut doux sur la Méditerranée. Manech en ressentit les pacifiants effluves. Il goûtait bien le repos qu'après une active campagne les chefs permettent à leurs hommes.

Il n'éprouvait plus les étranges angoisses de jadis ; les fantômes s'étaient évanouis. Comment les ombres du passé ne se fussent-elles pas dissipées au soleil de sa forte et libre jeunesse, au contact de ces flots qui le berçaient ? Le souvenir d'un amour qui vous a déchiré n'est jamais éternel. Et son amour pour Yuana, se l'était-il jamais avoué ? Les vents du large avaient assaini, balayé son âme. Sa puissance virile, qu'il réservait, ne lui apparaissait plus comme un détriment. Il était fier de son corps et de pouvoir le rompre, mieux qu'aucun matelot de l'équipage, aux exercices des athlètes. Et il continuait de marquer à celles qui le provoquaient dans la rue cette distance de jeune dieu à de simples mortelles. A qui donc destinait-il le mystère de sa beauté ?

— Après ma libération de la flotte, je partirai pour les Amériques. Je veux y faire fortune, je reviendrai ensuite au pays, répétait-il au vieux Jésuite comme aux autres.

Il aimait son pays d'une telle passion que si, au moment qu'il souhaitait le plus de le quitter, il avait pu penser qu'il n'y finirait point ses jours, il fût mort de douleur. Son pays était, en outre, le trésor dont il se faisait suivre, ce coffre où il puisait à pleines mains, dans la solitude, pour en admirer le précieux reliquaire. Peu à peu, il en avait trié les souvenirs. Dans sa nouvelle vie, il avait rejeté, envoyé à la mer, les pelotes d'Arnaud, les jalousies du vieil Américain, la contrebande du danseur de la Soule, et la pauvre robe à larges fleurs fanées de Yuana. Que lui importait maintenant cette fille, dont il avait étrangement souffert, et le lieu où les gendarmes l'avait emmenée en ce jour qu'elle avait déchiré son cœur ? Même sa charité chrétienne s'arrêtait là. Dans ce front pur et têtu, moulé par l'exact berret, il y avait des raisons qui triomphaient du cœur.

Le soleil se couchait sur le miroir bleu dont les vacillements ne lui renvoyaient que des images agréables. Notre-Dame-de-la-Garde semblait marcher dans les airs et lui rappeler cette Vierge de Garralda devant laquelle il se signait à l'angelus, disant : «*Agur Maria !*». Bientôt il aurait une permission assez longue, son commandant la lui avait promise. Il descendrait du train à Bayonne et, pour faire l'économie d'une voiture, il s'en irait à pied par la vieille route. Il arriverait par Labiry. Il reconnaîtrait les arbres, les montagnes, couleur de pensée bleue, d'Espelette et Hartsamendy, et, tout à coup, plus sombre qu'elles, Ursuya semblable à un joug de feuillage posé au front de la vallée.

Et il en fut ainsi. Il vint. Il traversa la petite ville. Devant lui s'ouvrait, avec ses platanes pareils aux éventails chinois qu'il rapportait à ses sœurs, dans son mince ballot, la route qui mène à Garralda. C'était ici que, par une orageuse nuit de fête, il avait rencontré Yuana et son danseur. Mais à cela il ne songeait plus du tout. Il ne pensait à rien d'ennuyeux ni de triste. Il n'y avait en lui que de la joie. Il s'amusa de n'être point reconnu, dans cet uniforme, par un vieux qu'il salua en l'appelant par son nom. Il marchait, de son allure balancée de matelot. Il vit frémir la rivière au soleil, cette rivière où la cardamine d'un printemps d'autrefois avait tressé, pour conjurer sa fièvre, son philtre de lumière riante.

Soudain son cœur battit, avec quelle allégresse ! Au milieu de l'eau voici que, belle et souple et grande, ses jambes élancées renvoyant une clarté aveuglante, un chapeau jeté sur sa chevelure, Kattalin lavait du linge. Je ne sais quel instinct la fit se redresser de la planche où elle savonnait. Leurs yeux plongèrent dans leurs yeux. Il hésitait. Lui, si sûr de soi d'habitude, n'osait ouvrir la bouche devant cette merveille de grâce, pétrie en deux ans, modelée, allongée par la Joyeuse.

Il était en face de l'Amour et de tout son carquois.

Aux pieds de cet Amour montaient et descendaient en un vol horizontal, presque immobile, des libellules couleur d'eau profonde. Elles se posaient parfois sur une herbe, et leur corps linéaire se tenait alors oblique sans que le frémissement des ailes se distinguât du jour. Mais lui, Manech, il ne voyait que cet Amour qui s'était détendu comme un arc de noisetier.

Kattalin dit :

— Bonjour, Manech. Quel bonheur de te revoir !

Et maintenant, par un torride après-midi, sous la tonnelle, à Garralda, parents et amis avaient bu à la santé du marin. Lui s'était éloigné, en compagnie de Kattalin, dans la direction de ces forêts où jadis il n'avait point voulu rejoindre Yuana. Et il tenait à la paysanne, dont le port de déesse le dépassait un peu, de ces propos charmants qu'inspirent aux jeunes Basques le vin de leur pays. Elle était si naturellement heureuse qu'à peine elle en pouvait croire ses oreilles parfaites, dégagées des fines mousses d'or qui couronnaient sa ravissante tête trop étroite.

— Te souviens-tu, lui demandait-il, que tu étais encore une toute petite fille, il y a cinq ans, et que tu me disais, au bord de la Joyeuse, que l'oiseau-bleu fait son nid au fond de l'eau où il emporte du ciel sous ses ailes ?

— Oui, c'est vrai, répondait-elle.

— Est-ce que, disait-il, tu n'as jamais pris d'oiseau-bleu avec le casse-pied ?

Et, comme elle rougissait, il reprenait :

— Regarde la couleur de mon col, elle est celle de l'oiseau-bleu. Ne veux-tu point le prendre au piège de tes bras si doux ? Tu seras mon ciel sous mon aile.

Elle était surprise et charmée et, dans un signe qui dit oui, s'illumina sa figure. Elle enlaça l'épaule du jeune homme.

— N'est-ce pas, ma Kattalin, que tu veux que nous fassions un nid au fond de la Joyeuse ?

— Méchant ! Ne vas-tu pas me rappeler aussi que je t'ai raconté que l'oiseau-bleu se bat avec les anguilles ? C'est vrai, d'ailleurs.

— Non, non, je ne me disputerai pas avec toi, mais peut-être voudras-tu m'échapper comme une anguille qui glisse entre les doigts sans qu'on puisse la retenir ?

— Avec toi, mon Manech, si tu me le demandes, j'irai bâtir un nid au fond de l'eau. Mais je crois qu'il vaut mieux rester sur la terre... Manech, est-ce que tu parles sérieusement ?

Et elle ajoutait :

— Le vin d'Irouléguy est si fort ! Tu en as bien bu une bouteille...

— Tant mieux, répondait Manech, si l'ivresse du vin fait que j'ose te dire que je t'aime ?

— C'est l'an prochain que tu reviendras pour toujours, Manech ?

— Je reviendrai pour repartir.

— Comment dis-tu ?

— Je dis qu'avant de t'épouser il faut que je fasse fortune.

Cette dernière phrase ne blessa pas la jeune fille qui, cependant, depuis que venaient de se conclure leurs fiançailles, eût donné sa vie pour Manech. Quelle que fût la violence de son amour, qui avait couvé sous la cendre de son humble foyer, sans espoir de le faire jamais partager, et qui maintenant venait de s'épanouir comme une rose qui ne cache plus son cœur ni son parfum, Kattalin était déjà soumise au maître.

Elle resserra son étreinte, posa sa joue sur le berret aux lettres d'or et demanda :

— Est-ce à Buenos-Ayres que tu irais ?

— Ou bien au Chili. On m'y a déjà proposé plusieurs places dans les tanneries. En quelques mois, je me mettrai au courant du métier à Hasparren. Et puis je partirai.

Hantée par l'idée qui avait frappé son enfance :

— On y ramasse aussi de l'or dans les rivières ?

— Pas là, dit-il. Et c'est un mauvais métier. Il vaut mieux faire du cuir et acheter des terrains avec ce que l'on gagne. On m'a dit aussi que je pourrai tenir un café avec un trinquet.

— On joue donc à la pelote là-bas ?

— Oui, avec des espèces de petits chisteras que j'ai appris à fabriquer à bord. Un Argentin m'avait prêté le modèle.

— Quand donc te reverrai-je ?

— Pas avant huit ans, ene maïtia.

Il prononça ce nom si doux de « bien-aimée » avec une langueur et une inflexion si tendres que l'on eût dit d'un chant d'oiseau.

La perspective de cette séparation ne les attrista point. Le but d'une fortune à réaliser ne faisait au contraire que stimuler leur sentiment si sincère, si ardent — mais ni pur et réservé qu'au cours de cette promenade leurs joues à peine se frôlèrent.

Il ajouta :

— Je te veux heureuse et riche, Kattalin. C'est vrai que tu auras bien près de trente ans, à mon retour. Et moi, un peu plus. Mais je yeux que tu sois la mieux habillée d'ici, que tu aies des bijoux et une voiture. A mes frères, et sœurs je laisserai ma part de Garralda.

Comme elle écoutait ! Elle n'eût pas osé même une objection à cette longue attente qu'il allait s'imposer et lui imposer. Ils prirent par un chemin creux d'où ils apercevaient des cerises au-dessus de leur tête. Noires, roses, jaunes et rouges, il y avait partout des cerises, tellement luisantes que l'on voyait l'azur glisser sur elles. Ils atteignirent un léger plateau d'où le pays, avec les palmes de ses peupliers, ressemblait à une grande procession. Les petits monts de Baïgura, de Hélette et d'Abbaratia, dressaient leurs reposoirs naturels, couleur d'orage et empanachés de quelques nuages de coton. Le soleil régulier comme un ostensoir s'abaissait dans l'étendue, et le calme dominical était si profond qu'on se fût cru à cet instant où la foule agenouillée se recueille pour recevoir la bénédiction en plein air. Des sonnailles lointaines scandaient les strophes de cette prose du silence. Une vie primitive, épaisse, vierge, ignorante, résignée, pleine de force, sortait des blés, des coteaux de fougères, des pâturages aux plans si inclinés que le bétail semble y chercher son équilibre. La vie continuait sous l'œil du Dieu personnel, de celui que le Basque nomme sans hésiter : « Le Monsieur d'En Haut ». Des hommes qui avaient près d'un siècle d'âge étaient toujours là lorsque de tout-petits étaient emportés dans leurs cercueils argentés et blancs. Et Manech et Kattalin obéissaient à la loi de ce Dieu et de la nature, de cette nature dont leurs beaux corps étaient tissus, et qui se servait, aux fins d'une union gracieuse, aussi bien du ciel bleu que des rosiers de Garralda.

De la ferme délabrée des parents de Yuana sortait une pauvre fumée.

VII

Libéré en 1902, Manech revenait au pays et s'initiait à l'industrie locale : la fabrication du cuir. Au printemps de 1904, il s'embarquait à La Pallice pour le Chili où l'accueillirent de tout cœur les compatriotes auxquels il était recommandé. Ceux-ci le prirent dans leur maison de commerce et, quatre ans plus tard, se l'associèrent. En 1908 il put, sans quitter la tannerie, acquérir, avec une partie de ses bénéfices, un hôtel qu'il fit exploiter à son compte par un ménage basque. Ce couple, récemment introduit au Chili par l'une de ces agences qui sèment la mort et récoltent la faim, fut heureux de trouver une gérance qui fit le commencement de sa fortune, au moment où celle de Manech était presque réalisée. Celui-ci acheva de s'enrichir en spéculant sur les nitrates. En 1911, il songeait à se rapatrier, après avoir refusé d'épouser la fille d'un de ses anciens patrons. Elle était pourtant charmante, de cette race de femmes brunes, un peu trop petites, mais bien tournées. Elle conçut beaucoup de chagrin de n'avoir pu se marier avec lui. Bien qu'il eût trente-trois ans lorsqu'il se réembarqua, il était encore fort beau. Il n'avait jamais, fût-ce un jour, oublié Kattalin, non plus qu'il ne s'était distrait de son idée, huit ans poursuivie avec un admirable esprit d'ordre, de ne revenir que millionnaire à Garralda. Favorisé par son esprit des affaires et par les circonstances, il avait dépassé son but.

Pendant son séjour en Amérique, il avait perdu sa mère et l'une de ses sœurs mariées. Les nouvelles lui étaient surtout données par Kattalin qui, malgré les années, l'appelait encore, dans ses lettres, son oiseau-bleu. Elle lui avait adressé, à plusieurs reprises, de ses photographies. La plus récente, qui la représentait coiffée de la mantille, révélait encore une de ces beautés dont on dit qu'elles n'appartiennent qu'au pays basque. Les vingt-neuf ans qu'elle comptait lui donnaient cet épanouissement d'une rose à dix heures, lorsque pas une ride encore n'en altère l'éclat. Elle levait sa tête de chasseresse antique, et son port gracieux et noble reposait sur la courbe impatiente d'une jambe.

Manech avait répondu à ces envois par des portraits de lui. Le dernier avait été pris dans son salon de Los Angeles. Il était représenté debout. Sa face, au premier aspect, était d'un romain classique, mais le regard basque s'était accentué de bas en haut, ce regard bridé de l'Asiatique. Il était vêtu d'un complet fort moderne, très bien coupé, dont le pantalon au pli méticuleux se relevait au-dessus de bottines qui visaient à rendre le pied exigu. Une large chaîne de montre à breloques barrait le gilet blanc. L'une des manchettes, aussi roide d'empois que le col, laissait paraître une pépite qui servait de fermoir. Un gros brillant formait l'épingle de cravate. Il tenait à la main un chapeau canotier. Sur un guéridon, d'acajou sans doute, et de style Louis-Philippe, une photographie était placée que l'on devinait être, dans un cadre somptueux, celle de la fiancée. Dans deux autres cadres, fixés au mur, on eût pu reconnaître une Assomption et une Descente de Croix. Un lustre à prismes de cristal pendait du plafond.

Dans une des lettres qui précéda son départ de Valparaiso, il donnait à Kattalin des instructions détaillées. Il entendait que leur mariage fût célébré dès son retour. Il allait jusqu'à lui décrire le costume qu'il désirait qu'elle portât lorsqu'elle viendrait à sa rencontre à Bordeaux. Il en avait pris modèle aux élégantes du Chili. Il lui envoyait un chèque de trois mille francs, pour la façon de la robe et les frais du voyage. Elle et sa mère devraient descendre à l'hôtel des Basques où il les rejoindrait, après avoir fait diriger ses nombreux bagages de la Rochelle à Bayonne et, de là, dans une belle maison qu'il avait acquise à Hasparren, par procuration, l'année précédente. On passerait quelques jours à Bordeaux pour acheter le trousseau et le mobilier de leur ménage. Ce programme s'exécuta de tous points.

Ce fut avec une joie grave et sûre que se reconnurent les fiancés. Manech, avec cette réserve que garde toujours à l'extérieur le Basque, souleva son chapeau pour saluer Kattalin et lui tendit la main. Elle avait espéré un baiser. Mais, à déjeuner, il lui souriait plein de prévenance et lui faisait de ces compliments si jolis qu'ils portent au cœur. Elle était fière de l'entendre donner des ordres aux servantes sur un ton qui sait commander avec douceur. Il se montrait un peu difficile, tel qu'un monsieur qui a l'habitude des grands hôtels. Combien, pourtant, se sentait-il plus à l'aise dans cette auberge retrouvée qui sentait le pays natal ! Il s'exprimait plutôt en basque, mais il fit une observation en français parce qu'on avait négligé d'orner leur nappe d'un bouquet de fleurs comme il y en avait aux tables voisines. Au dessert il commandait une bouteille de Champagne qu'il déclara ne rien valoir en comparaison de celui qu'il buvait là-bas.

— Mais, dit-il à Kattalin, qu'est-ce, pour me griser, de la mousse du meilleur vin, si tu me donnes la mousse de tes cheveux ?

C'est ainsi qu'avec une faconde un peu espagnole, un Basque sait parler à celle qu'il aime, fût-il un Basque américain dont la fortune a été rapide. Jamais en lui ne fait défaut l'inspiration spontanée, à moins que son orgueil ne l'empêche.

Kattalin se faisait humble à son côté. Mais la fierté la soulevait devant les femmes qui dans la rue le dévisageaient. Il ne les regardait point. Il s'arrêtait volontiers dans le quartier maritime devant les cages des oiseliers. Il lui montra une perruche du Chili et, comme elle la trouvait ravissante, il la lui acheta sans même en débattre le prix. Elle protestait, de peur de se montrer indiscrète. Mais lui, tirant de sa poche son gros portefeuille, la rassurait.

—————

— Souviens-toi que tu m'as dit que l'oiseau-bleu fait son nid au fond de la rivière. Celui-ci, qui est vert, le fera dans les feuilles du jardin où nous nous aimerons.

—————

De toutes ces flatteries, d'ailleurs sincères, elle avait les larmes aux yeux tout en continuant de marcher à son côté, de cette manière qui donnait tant de grâce à sa taille si haute et si flexible.

Il voulut qu'elle prît le chapeau, comme font en général les dames des Américains. Et, en cela, Kattalin montra ce tact inné des Basquaises, même rurales, qui savent du premier coup adopter la mode la plus simple et la plus jolie. Ils choisirent ensemble les chambres, le salon, la salle à manger de leur future demeure, fort luxueux, mais d'un goût moins sûr que la corbeille et les robes. Ils passèrent ainsi trois semaines à faire mille achats, entre autres d'un calice de valeur qu'il voulut offrir à l'abbé, son ami de jeunesse, devenu maintenant curé de Méharin et qui bénirait leur union. Ils assistèrent à la messe de la paroisse Notre-Dame. Ils communièrent. Elle suivit l'office dans le missel qu'il lui avait donné. Ils dînèrent dans des restaurants où l'on joue du violon, visitèrent en voiture les quais, allèrent au théâtre. Ils rejoignirent enfin, elle et sa mère, leur moulin, lui Garralda.

Le tendre et grand oiseau blanc l'attendait, les ailes toujours entr'ouvertes, dans l'attitude à la fois de l'essor et de l'accueil. Au moment que Manech entra dans la cour, son père, seul, remuait du fumier. Un pigeon tourna et revint. Le vieux se redressa et vit son fils habillé comme un prince, et qui se découvrait. Tous deux, au même instant, sentirent passer sur leur cœur les ombres de la mère et de la sœur qui n'étaient plus. Ils s'avancèrent l'un vers l'autre et se tendirent la main sans prononcer un seul mot.

Le père passa ses doigts calleux sur sa paupière. Puis il reprit sa fourche en silence, continua de retourner l'ajonc. Il laissa Manech entrer sans lui dans la cuisine où l'accueillirent, avec déférence, deux sœurs et un frère. Le reste de la famille travaillait aux prés. La chambre était depuis longtemps préparée pour recevoir le voyageur qui revenait enfin. On y monta sa valise d'un cuir odorant et rouge, aux fermoirs dorés et garnie d'objets d'ivoire, telle que jamais n'en avait vu ni n'en reverra Garralda. Il était convenu que Manech occuperait cette pièce, durant les quelques jours que s'achèverait l'installation de la villa que sa femme et lui habiteraient, et à laquelle il donnerait tout simplement le nom de Kattalinen-Etchea, qu'il ferait graver dans la pierre du portail.

Sa plus jeune sœur, née depuis son départ au Chili, était pieds nus, les cheveux couverts de débris de foin. Elle lui baisa la main où brillaient des bagues trop voyantes, puis elle s'enfuit, surprise de sa propre audace. Elle l'aimait, l'admirait tant sans le connaître ! Il demeura seul jusqu'au déjeuner. Il était ému de cette sainte pauvreté. L'éclat de miroir suspendu au mur, pour qu'il pût se raser, la cuvette, le pot-à-eau, le savon neuf posé sur la serviette qui recouvrait une petite table, une commode neuve, d'un bois peu solide, le lit qu'il reconnaissait et que l'on avait acheté lors de la première maladie de sa mère, la Vierge sur l'étagère, et le Christ au-dessus, le firent s'agenouiller. Il était encore ainsi lorsque l'angelus sonna. S'étant relevé, il regarda par la fenêtre et il aperçut au loin la ferme des parents de Yuana.

Certes, il avait oublié cette fille jusqu'à ne plus s'être enquis d'elle, même au cours de ses permissions de jeune marin. Et son entourage n'avait fait que favoriser son incuriosité volontaire, les vrais Basques observant le silence sur tout ce qui regarde aux affaires des Bohémiens et des Gascons, surtout si elles sont judiciaires. Mais voici qu'après bien des années il ressentait, comme le dernier frisson d'une vague mourante, la douleur qui l'avait déchiré autrefois et qui avait suivi la vision de son amie d'enfance emmenée entre deux gendarmes.

Toujours la même fumée sortait du misérable toit.

Ses larmes coulèrent lentement, largement, comme la pluie d'un orage qui se ralentit. C'est alors que cet homme robuste, retirant de dessus son cœur la médaille qu'avant son départ Kattalin lui avait suspendue au cou, la baisa. Et ce baiser n'était qu'une prière confuse qui demandait grâce à Dieu pour la pécheresse, et pour lui qui l'avait trop méprisée peut-être…

Et il souffrait en même temps de la joie même qui, malgré tout, débordait de tout son être au moment de son retour définitif ; il implorait pour qu'un peu de sa paix, de son bonheur à fonder un foyer avec Kattalin, de sa fortune, fût offert au Ciel pour Yuana qui s'était perdue.

Mais était-elle vivante ailleurs qu'au Royaume des morts ?

Il redescendit de sa chambre, et il mangea la soupe avec son père et ses frères. Comme jadis, les femmes les servaient. Et c'était toujours la même soupe avec des légumes fumants, dans les mêmes grosses assiettes, et les cuillers d'étain et les verres épais et le vin âpre et trouble. Et le silence régnait aussi solennel, rompu de temps en temps par un ordre bref du vieillard. On eût dit que la vie reprenait à bien des années en arrière, avec des vides et des ombres. Ce n'était que dans son regard que le père laissait percer l'émotion, la fierté de se retrouver en face d'un tel fils.

Lorsqu'on eut servi le café, seul luxe de ce repas, Manech parla.

Il dit son amour pour ceux de Garralda, son labeur au Chili, le désir qu'il avait toujours eu de revenir au pays, sa large aisance, le luxe américain. Il s'exprimait avec une sûreté qu'il ne possédait point jadis, mais qui en imposait. Et le vieux levait la tête, puis l'abaissait en signe d'approbation. Au moindre bruit qui eût pu troubler les paroles de son fils, il faisait de la main un geste qui commandait le silence. Debout, le poing et le torchon au flanc, les femmes l'écoutaient.

Manech allait se marier. Il doterait chacun de ses frères, chacune de ses sœurs d'une somme de dix mille francs. Il lèverait quelques récentes hypothèques prises sur Garralda. Il ferait une rente au père. Un autre fils que lui serait un jour le chef de la maison, le maître du grand oiseau blanc.

Humbles et reconnaissants, ils ne savaient que lui répondre. Ils avaient foi en lui.

Le mariage de Manech et de Kattalin fut béni par monsieur le curé de Méharin dont le calice neuf brilla comme un bouquet de renoncules. La noce se rendit à pied, à travers bois, du moulin à l'église et de l'église au moulin. Manech aurait pu donner à l'hôtel du village voisin le riche repas qu'il servit à ses invités, mais il jugea plus à son goût de se conformer aux usages et de laisser aux réjouissances le décor qu'elles revêtent en de plus humbles conditions. La grange des meuniers s'orna de fleurs dès l'aube. Et ce fut au son d'une chirula que sortit le cortège. Les paysannes étaient mirobolantes, pareilles aux verveines, aux campanules, et aux sauges de leurs parterres. Mais

Kattalin portait la plus somptueuse robe, faite à Bayonne, et qui eût rendu jaloux tout le Nouveau-Monde.

Lui, avait passé l'habit noir qu'il avait fait couper à Santiago. Il était en pleine beauté, en pleine force. Il respirait le contentement de la grande fortune acquise. Mais ni son chapeau trop brillant, ni ses bijoux, ni le soin méticuleux apporté à sa coiffure et à sa moustache n'auraient su le ridiculiser. Manech demeurait Manech ainsi. Il n'était pas un parvenu, mais un arrivé. Il était comme Ulysse qui a parcouru les mers et regagné son pays avec une armure étincelante, de la pourpre et un butin. Sa poignée de main aux vieux Basques anguleux était aussi ferme, aussi simple, que s'il ne les eût jamais quittés.

———

Garralda avait revêtu ses plumes les plus blanches.

Au retour de l'église, on fit halte dans plusieurs auberges. On y servait, sur de longues tables, du vin blanc et des biscuits. Un grand Basque, mélancolique et tanné, tirait de sa clarinette une mélodie qui faisait danser plusieurs couples. La rumeur des commères et des enfants berça le moulin endormi. Aux mets recherchés, venus de Bayonne, s'ajoutaient les truites de la Joyeuse, les poules de Garralda, les boudins de brebis et, au bordeaux et au Champagne, les vins de Méridionale et d'Irouléguy.

Le dîner se prolongea plus avant que la nuit tombante où montaient les étoiles. Tout naturellement, les invités s'étaient groupés selon leurs coutumes et leurs langues.

A l'un des bouts de la table, à la gauche des variés, les Gascons fredonnaient des airs à la mode, lutinaient les filles, prenaient des poses de godelureaux, et les plus âgés, vêtus en demi-messieurs, ressemblaient à des employés ou à des fonctionnaires.

———

Mais, à droite, les Basques régnaient. Ils mangeaient, beaux et graves. Leurs regards allaient et venaient avec une lente majesté. Parfois leur ménétrier se saisissait de l'instrument posé devant lui, en travers de la table, et la grange en résonnait.

———

Il en faisait sortir de doux gémissements, échos des âges les plus lointains. Ces airs que n'évoquaient-ils pas ? Les cris des cigales des lourds après-midi quand, vers les grottes d'Isturitz, les ancêtres chasseurs rapportaient les bêtes percées de flèches ; les plaintes de la forêt si dense que l'écureuil y pouvait circuler sans jamais effleurer le sol ; un peu plus tard, les clameurs des bergeries plaintives, la voix des pâtres qui se prolongent ; les appels angoissés des mères recherchant leurs enfants, le soir, autour des bordes ; le battement régulier des vols de palombes vers Sare, Osquich ou Lécumberry ; le cri chantant des chatards qui les guettent de la montagne en brandissant des haillons ; le mugissement des conques annonçant les beaux coups de filet ; le sanglot fou des irrintzinas ; la douceur des aveux dans le crépuscule ; l'annonciation désolée de ceux qui marquent les points au jeu de paume ; les farouches exclamations des pilotaris ; le tambourinement du sol sous les pieds ailés des danseurs aux grosses chevilles ; le rire divin de l'angelus quand la place tout entière découvre son front ; le pas cadencé des vieilles encapuchonnées qui se suivent une à une, pareilles, avec leur huppe sur les yeux, à des poules courroucées ; les hymnes de la Fête-Dieu mêlées aux ronflements des capricornes dans la brise qui courbe les moissons accablées de gloire.

Le joueur reposait sa flûte. On n'entendait plus que le cliquètement des assiettes. Mais bientôt, du même côté, un koblari se levait qui jetait, comme une provocation, une phrase balancée, que se renvoyaient, semblait-il, les collines. Un autre poète lui répondait. Et le silence se refermait.

Manech n'oublia point les pauvres de la commune. Il ouvrit largement la main aux Écoles libres dont les professeurs, jusque-là, consentaient à leur vie misérable. Il fit des dons à la Paroisse. Non loin de Garralda, il fit élever un rebot et planter autour des platanes. Il acquit plusieurs métairies. Il releva deux vignes non loin de Kattalinen-Etchea. Il accrut le nombre des moutons de son père, en se réservant une part dans le croît. Il posséda des taureaux de prix et des poulinières de race. Il fit un semis de pins au moment que les chênes étaient ravagés par l'oïdium. Il fit construire un bélier qui élève l'eau potable jusqu'aux prés de Chocogaraya. Il n'accepta point la direction de la mairie, mais l'office d'adjoint.

———————

A travers la grille de Kattalinen-Etchea, on entrevoyait des roses et sa femme qui lui donnait un garçon au cours de 1913. Il l'aimait et la vénérait. Mais, comme ceux de son pays, il la laissait souvent seule et il allait prendre part aux parties de pelote et aux soupers qui les suivaient, à l'auberge, parfois jusqu'au matin.

Kattalin était heureuse ainsi, le sachant Basque et fidèle. En 1914, la guerre ayant éclaté, il partit. Et, en 1915, il perdit un bras et dut rentrer.

———————

Manech ne se retrouva en présence de Yuana qu'une seule fois, mais sans qu'elle ni lui songeassent à se reconnaître. Voici dans quelle circonstance.

La blessure qu'il avait reçue fit que ses médecins lui prescrivirent un séjour au bord de la mer, à Sainte-Madeleine. Or il existe, à Sainte-Madeleine, un couvent de Filles repenties dont lui et sa femme fréquentaient souvent la chapelle.

Un jour qu'ils en ressortaient, ils virent que le portail du cimetière de ces religieuses était demeuré entr'ouvert. Ils y entrèrent. Là, une infinité de légers monticules de sable où étaient disposés, en forme de croix, de minces coquilles, indiquaient les places des mortes. Le souffle marin le plus léger, les moindres pleurs du ciel, en faisaient dévaler la terre, éparpillaient les ornements fragiles recueillis sur la plage. Et, avec une inlassable et méticuleuse patience, ces Filles que le monde et la justice humaine avaient rejetées, mais que le Christ se fiançait dans la miséricorde, réparaient ces tombes aussi mobiles que l'air et l'eau, replaçaient chaque fragment de cette croix marine.

Une ombre, une seule, à ce moment, était occupée à ce pauvre travail. C'était Yuana. Agenouillée, elle ne se retourna point vers le couple qu'elle entendit venir. Manech n'eût d'ailleurs pas retrouvé en elle la nymphe pastorale qui avait essayé de l'entraîner, ni elle peut-être en lui l'adolescent tout plein de la vierge lumière des fleurs. Elle continua sa tâche naïve.

Mais demain le vent qui se lève reviendrait, et le sable et le péché aussi facilement s'effacent.

LE MARIAGE DE RAISON

A
MADAME LÉON MOULIN
Amical et respectueux hommage.

I

Marie vint au monde par un jour où la neige s'étendait au loin. Son père qui était un pauvre fonctionnaire, quand il vit que l'enfant était enfin dans son berceau et que l'accouchée avait une figure heureuse et reposée, se rapprocha de la fenêtre et versa en silence des larmes d'humble joie.

Il y avait à peine un an que le papa et la maman de Marie s'étaient épousés. Ils avaient attendu d'avoir assez d'économies pour se mettre en ménage, acheter quelques meubles à bon marché, quelques ustensiles de cuisine. Puis la bénédiction du Ciel était descendue sur eux. Et maintenant leur fille était née.

Lui, le père de Marie, était pâle avec des yeux noirs et une barbe noire. Il portait une jaquette parce qu'il était employé de l'État, receveur de l'enregistrement, dans ce chef-lieu de canton appelé Roquette-Buisson. La mère n'était ni blonde ni brune, ni laide ni jolie, mais douce et attentionnée.

Voici comment ils s'étaient rencontrés.

Une tante de la jeune fille, qui l'avait recueillie tout enfant, lui dit :

— Tu as vingt-cinq ans, tu es orpheline, il faut que tu songes à te marier parce que j'ai été trop malheureuse, moi, d'avoir passé toute ma vie, sans foyer, à Navarrenx. Tu n'as que dix-sept mille francs de dot, mais je te donnerai cinq mille francs de plus, et tu seras héritière de cette maison si l'homme que tu épouseras me convient. Le receveur de l'enregistrement m'a paru très comme il faut. Je l'ai rencontré plusieurs fois chez Mme Durand. J'ai parlé à celle-ci de l'idée que j'ai pour toi. Elle m'a approuvée. Je l'ai invitée à déjeuner avec le receveur. Il joue très bien du violon.

Cette entrevue avait eu lieu. On avait pris le café sous la tonnelle. Lui avait dit à la jeune fille :

— J'ai perdu, comme vous, mes parents de très bonne heure, je n'ai jamais connu l'affection, le doux amour qui pénètre le cœur et le réchauffe comme un oiseau le nid avec son duvet.

La jeune fille l'avait écouté en penchant la tête, et elle avait pensé qu'elle serait celle qui l'aimerait, s'il le voulait. Il avait, en parlant, les larmes aux yeux. Elle l'avait regardé avec tendresse. Et, comme on les avait laissés tout seuls, il lui avait pris la main en soupirant. Elle ne l'avait point retirée. Et ce furent leurs fiançailles, qui durèrent assez longtemps, car on espérait d'un jour à l'autre la nomination du receveur à un poste plus avantageux que Navarrenx. Malgré l'attente, la joie inondait ces cœurs simples. Elle, souriait, penchée sur son aiguille, hâtant son ouvrage. Lui, trouvait bien plus gaie la petite maison qu'il avait louée à l'entrée du village. Il cueillait une rose dans le jardin, ce qu'il n'aurait pas fait autrefois, et, en la sentant, il recevait une caresse au cœur parce qu'il pensait à la joue de sa future femme.

Il fut enfin nommé à un bureau plus important, Roquette-Buisson, dans le même département, ce qui plut à la tante. Le mariage fut célébré à Navarrenx, que le couple quitta presque aussitôt pour s'installer dans sa nouvelle résidence. Celle-ci leur parut une Terre Promise, plus belle encore quand cette enfant leur naquit par ce jour de neige.

Donc, Marie était dans son berceau, entre sa mère et son père qui regardait la cour noire et blanche, tandis que le feu, dans la chambre, faisait son bruit continu. Elle était dans son berceau, pareille à tous les petits qui sont venus en ce monde, et qui y viendront, faible comme un souffle, camuse comme un chien qui tette. Et, devant ses yeux clos, la vie se fiançait à elle, la vie telle qu'une fleur mystérieuse jaillie du néant et qui renfermait dans son calice éternel ces âmes, cette Vierge sur la commode, cette soucoupe posée là, ce hangar bourré de bûches, cette nappe gelée sur qui allait se lever la lune.

Le bois se mit à flamber plus fort, ronfla comme un linge dans le vent, et, dans l'ombre tombante, un reflet palpita sur la tapisserie. Le père se rapprocha de son enfant, la regarda de tout près. Il n'avait point ce regret bête qu'elle ne fût pas un garçon. Elle suffisait, sa petite, à combler de joie un homme longtemps orphelin en qui l'amour était entré voici un an. Il n'aurait pas échangé contre un royaume la pauvre chambre qu'avaient meublée ses appointements de fonctionnaire de troisième classe.

Marie fut baptisée dans la fête de l'Immaculée-Conception. Portée à l'église au milieu du silence des flocons, elle en revint de même, et sa mère ravie la reçut entre ses bras. Son père se retira jusqu'au déjeuner, dans l'étroit bureau où il gagnait le pain quotidien. Un plat de luxe, fourni par l'auberge, rehaussa le repas que trouvèrent bien bon la tante de Navarrenx et les deux autres invités.

La neige ne discontinuait pas de tomber. Il fit nuit de bonne heure. Le receveur, quand ses hôtes se furent retirés — la tante repartit le soir même — vint allumer la veilleuse dans la chambre de sa femme qui lui dit son désir d'entendre un peu de musique, ce dont elle était privée depuis quelques jours. Il alla chercher son violon, s'installa auprès du feu et joua. L'air était certainement quelconque, mais il exprimait le bonheur que le Ciel envoyait à cette maison. La petite Marie, dont le nom passe toute douceur, chantait dans le cœur de son père. Et, à cette frêle voix que traduisait l'archet, voici que la Sainte Vierge répondait avec toutes ses grâces. Elle ne descendait point vers le berceau, telle qu'une fée des contes, les mains chargées de bijoux, les lèvres pleines de miel et de souhaits. Mais elle apportait à la nouvelle-née les fruits merveilleux que sont l'humilité, la pureté, la patience. Et ces dons, reçus par l'innocente, devaient lui être plus précieux que des ciseaux d'or et des perles. Ils lui permettraient de ressembler à Celle qui les a possédés entre toutes les femmes, de lui ressembler dès les premiers pas de l'enfance, et de la suivre dans cette voie toute droite qui va de la Terre au Ciel.

Marie n'avait pas trois ans, qu'elle éprouvait déjà pour sa mère cet attachement si fort, qu'il semble que les tout-petits ne puissent davantage s'éloigner du sein qui les a nourris qu'un fruit s'écarter de l'arbre où il est encore retenu. Elle se plaçait debout devant elle, lui appliquant ses mains mignonnes et rondes sur les genoux, et relevant la tête pour lui demander un baiser, comme un oisillon la becquée à l'oiselle qui la lui donne. Avec moins de passion sans doute, elle se faisait caresser par son père dont elle touchait la barbe. Elle se sentait revêtue de je ne sais quelle importance quand il l'attirait à lui, flattée de ce qu'il sût la faire sauter bien haut, lui qui faisait chanter son violon si mystérieusement. Elle affectionnait aussi beaucoup sa poupée, une pauvre loque, dont un bras, une jambe et les cheveux manquaient, mais qu'elle pressait contre son cœur de toutes ses forces.

Une de ses plus grandes joies, c'était qu'on lui permît de s'asseoir un instant entre ses père et mère, quand le déjeuner touchait à sa fin. Ce lui était un grand honneur qu'on lui donnât alors un peu de dessert.

Lorsque Marie eut quatre ans il y avait, sous son front bombé, tout un monde insoupçonné de ses proches eux-mêmes, un monde avec des pensées et des images, et tout un paradis d'oiseaux et de fleurs.

Elle vit un jour que le jardin était luisant et merveilleux plus qu'à l'ordinaire, et une ivresse la surprit quand elle entendit le bourdonnement de la vie dans la joie du mois de mai. Elle essaya de regarder le soleil en face, un soleil dont les longs rais se brisaient aux tiges des lilas et des boules-de-neige. Éblouie, elle rentra, et courut vite voir si la Vierge était sur la commode ; si, par ce temps idéal, elle n'était point échappée toute seule dans le jardin. La Vierge était toujours là.

II

Un frère lui naquit avec les roses neuves au soleil. On l'appela Michel.

Parce qu'on était très occupé maintenant, n'ayant qu'une bonne, on envoya Marie en classe chez les Sœurs-bleues. Les plus âgées des enfants qui fréquentaient l'école atteignaient quatorze ans, les plus jeunes quatre ans. Marie alors en avait cinq. Il y avait Isabelle, dont les parents possédaient un château à deux kilomètres du village de Roquette-Buisson. Marie et elle s'aimaient. Marie était fière d'une compagne aussi élégante, qui portait une toque à plume, une robe à carreaux écossais, des bas bien tirés, et des chaussures d'une finesse extrême. On venait accompagner et chercher Isabelle en voiture chez les Sœurs-bleues. En se quittant et en se retrouvant, les deux petites s'embrassaient, et Isabelle riait parce que Marie avait toujours le bout du nez froid. Et Marie, à son tour, riait de ce qu'Isabelle le lui dît.

Le papa et la maman d'Isabelle avaient fait une visite au papa et à la maman de Marie, pour inviter celle-ci à venir chez eux passer une journée de vacances. Et la maman de Marie fut bien contente. Elle arrangea sa petite fille du mieux qu'elle put, lui fit une coiffure bien convenable, brossa la robe confectionnée par la couturière du village. Marie fut tout intimidée quand, descendue de la jolie voiture qui l'avait amenée, elle gravit le perron de la maison somptueuse qui ne ressemblait en rien au logis médiocre où sa maman, son papa et elle vivaient à l'étroit. Mais Marie, qui était bonne, avait une grande reconnaissance à Isabelle et à ses parents de ce qu'ils voulaient lui montrer des choses riches qui étaient à eux. Une femme de chambre avait ouvert à Marie la porte d'entrée, où luisait du cuivre, et l'avait débarrassée de son petit manteau, taillé comme la robe par la couturière qui travaillait à domicile.

Isabelle était arrivée par un grand escalier où il y avait des oiseaux de fer, et elle avait embrassé, sur les deux joues, Marie qui lui avait rendu ses baisers de toutes ses forces avec ses bonnes grosses lèvres rouges. Et elle l'avait emmenée très vite dans une chambre toute remplie de merveilles, de joujoux incroyables, dont elle lui avait fait les honneurs. Et tantôt c'était une poupée grande comme une enfant, et tantôt c'était une voiture ou un chemin de fer mécaniques. Le chemin de fer tournait en déraillant. Et Marie admirait, une fois encore, comme son amie Isabelle était élégante, avec ses bottines de fée qui ne ressemblaient nullement aux pauvres chaussures épaisses qu'elle portait. Et un petit nuage glissa tout à coup sur son cœur serein, une petite tentation, l'une des premières tentations de sa vie d'innocente : elle souffrit de la misère de ses souliers. Elle aurait voulu des bottines comme en possédait son amie, hautes, avec ces jolis cordons. La chérie n'enviait que cela, non pas certes par jalousie, mais afin de ressembler à une compagne aussi charmante.

Quand le papa et la maman d'Isabelle descendirent pour déjeuner, ils passèrent, avec les deux petites, par le large salon où luisait un piano, et il y avait un tapis qui empêchait d'entendre les pas. Marie marchait tout doucement sur les beaux dessins de laine, et ce lui était encore plus pénible, en baissant les yeux, d'apercevoir ses souliers qui la rendaient si triste depuis tout à l'heure.

— Vous n'êtes pas souffrante, Marie ? lui demanda la mère d'Isabelle.

— Non, madame.

— Vous n'avez pas l'air gai…

Gaie ? Ah ! certes, elle l'était en arrivant, parce que tout d'abord elle n'avait pas bien vu tout ce luxe, qui, maintenant, lui faisait un peu honte d'elle-même. Chez nous, se disait-elle, ce n'est pas comme ça. Il y a une toile cirée sur la table de la salle à manger. Ici, on voit tant de choses brillantes sur la nappe, qu'on ose à peine se servir de sa fourchette et de son verre. Et elle était triste, en pensant que papa et maman étaient aujourd'hui tout seuls, en face l'un de l'autre, mangeant dans des assiettes sans couleurs.

Jusqu'à la fin de la journée, Marie fut comblée par ses hôtes. Et même, on lui donna des jouets que son amie avait en double, et elle les rapporta chez elle, dans le bel attelage avec lequel on était venu la prendre. Au départ, elle avait embrassé son amie aussi fort que le matin, mais son baiser fut alors rempli d'un sentiment que son petit cœur n'avait point connu jusque-là, le sentiment de la mélancolie.

Devant leur porte, son papa et sa maman l'attendaient. Ils l'enlevèrent du marche-pied, puis ils la caressèrent.

— Mignonne, t'es-tu bien amusée ?

— Oh ! oui, maman, oui, papa.

Mais ses parents, à souper, virent une ombre sur la figure de Marie. Et, comme il arrive chez les enfants quand ils couvent quelque douleur secrète, cet état s'aggrava jusqu'à ce qu'elle éclatât en sanglots entre les bras de sa mère qui la déshabillait pour la mettre au lit. Et, d'une voix entrecoupée, elle avoua la cause de sa désolation durant cette luxueuse journée : ces souliers qui n'étaient pas jolis, achetés au cordonnier du village. Sa maman ne lui répondit qu'en l'embrassant. Mais, comme papa avait entendu la confidence, il vint vers sa Marie, et la prit entre ses bras. Et, parce qu'elle était en chemise, pour qu'elle n'eût pas froid il la serra bien fort sur son cœur, joue contre joue, longuement. Puis il se rapprocha de la commode où se dressait la Vierge tant aimée, et il dit à l'enfant, tout bas, dans un murmure contre l'oreille :

— Regarde-la, regarde-la, chérie ! Regarde-la, elle est nu-pieds. Elle n'a pas de souliers, mais elle trouve les tiens bien beaux parce qu'elle est pauvre.

Marie se calma soudain, et, sagement, se laissa mettre dans son lit qui était auprès du celui de ses parents, et non loin du berceau de Michel qui, étant tout petit, couchait à portée de sa mère.

C'est vrai que la Sainte Vierge est pieds nus, se disait Marie avant de s'endormir.

Et, tout de suite, elle aima ses pauvres souliers.

A partir de ce jour, Marie se demandait, pour toutes choses : Est-ce que la Sainte Vierge en a ou n'en a pas ? Ou bien : Est-ce que la Sainte Vierge aurait fait comme ceci ou comme cela ? Et, dans son cœur, il y avait toujours les réponses.

Un jour, à la Noël, les père et mère d'Isabelle avaient invité Marie et son papa et sa maman. Le receveur avait apporté son violon, et Marie avait été très fière d'entendre son père jouer dans le grand salon.

Aussi, tandis qu'on se recueillait dans le plus grand silence, elle était allée se mettre contre les genoux de sa maman qui lui avait caressé les cheveux. Elle voulait faire savoir au monde, en se faisant cajoler de la sorte, qu'elle était bien la petite fille de cette maman-là, et de ce papa-là qui jouait si bien du violon.

On avait pris le thé ensuite, et la femme de chambre qui apporta le plateau était la jolie femme de chambre qui avait ouvert la porte à Marie, la première fois qu'elle était venue au château. Mais il y avait une autre femme de chambre, aussi jolie, que l'on voyait moins souvent. Toutes les deux avaient l'air de papillons blancs des choux.

Marie, son papa et sa maman, revinrent du château par une belle neige, qui, en quelques heures, avait rendu la campagne toute plate et toute ronde. En rentrant, on avait remis à papa un papier. Il l'avait ouvert, et il avait dit à maman :

— Mon amie, on m'annonce mon changement. Je suis nommé à Arbouët, dans le pays basque.

Et maman lui avait répondu :

— Il faut que ce soit au moment que nous commencions de nous attacher à ce pays, d'y avoir des relations agréables…

Et papa avait répondu :

— C'est la vie.

Lorsque Marie, le lendemain, eut compris ce qui arrivait, elle pleura à l'idée de quitter les Sœurs-bleues, et ses amies, et le village, et la campagne, ces lieux où elle avait fait connaissance avec l'univers et essayé ses premiers pas. Elle dit sa grosse peine à sa mère, et celle-ci lui parla de la Sainte Vierge qui avait été obligée de quitter le pays où elle était née, pour s'en aller dans un autre pays qu'elle ne connaissait pas, tout plein de vent et de sable, sans arbres, bien moins agréable certainement que ne leur serait Arbouët. Et, encore une fois, Marie se consola en songeant qu'elle ferait comme la Sainte Vierge.

Le petit Michel, lui, ne comprenait pas tout cela. Il jouait avec une poupée de papier, à figure rose, qui n'avait ni bras ni jambes.

L'humble déménagement amusa Marie. Un soir, on s'éclaira avec des bougies plantées dans des bouteilles parce que les chandeliers avaient été emballés par papa, qui aidait les ouvriers à clouer les caisses. Avant de quitter la maison natale, elle alla, toute seule, une dernière fois, dans le jardin où le violon ne s'entendait plus. Elle tenait bien raisonnablement les mains dans les poches de son paletot. Sa figure eut un pli, comme si des larmes allaient jaillir. Mais elle se retint de pleurer. Et elle rentra en frissonnant. La dernière nuit, comme on n'avait plus de chez soi, on la passa à l'auberge, et, le lendemain matin, on partit pour la gare avec quelques amis de Roquette-Buisson, venus pour les accompagner, parmi lesquels deux Sœurs-bleues, Isabelle, son papa et sa maman. Ces derniers avaient apporté des provisions de bouche pour les voyageurs. Marie se tenait en avant du groupe, donnant une main à sa chère amie et pleurant dans son mouchoir. Toutes deux portaient de jolies toques, parce que la maman d'Isabelle avait donné à Marie la même qu'à Isabelle. Mais Marie portait toujours une robe naïvement coupée, et les gros souliers que, maintenant, elle aimait bien. Quant à Michel, tenu par la bonne, il avait l'air d'un ange d'or aux joues gonflées. Ils montèrent dans le train. On agita des mouchoirs. La machine siffla, et les maisons et les arbres se mirent à courir en arrière.

III

Marie et ses parents, à Arbouët, allèrent occuper le logement du receveur qui venait de partir. Il était plus clair et plus vaste que celui de Roquette-Buisson, mais le jardin avait moins de mystère. Il n'y avait pas de ces sombres recoins, si doux, que l'enfance chérit dans la maison natale. Cependant Marie accepta le dépaysement, à cause de ce qu'elle conservait dans son cœur touchant l'exil de la Vierge.

A Arbouët, papa disait que le bureau était bien plus chargé qu'à Roquette-Buisson. Néanmoins, il pouvait souvent sortir à cinq heures, et, quand les jours furent assez longs, on alla se promener et, parfois, on emmenait Michel en lui donnant la main. Marie aimait tant son petit frère ! Il avait maintenant deux ans.

Un après-midi que l'écolière rentrait du pensionnat, son père lui dit :

— Marie, je vais t'annoncer une grande nouvelle, qui te rendra bien heureuse. Tu sais que maman était couchée depuis hier, parce qu'elle était un peu malade. A présent elle est guérie. Et il vous est arrivé une petite sœur à toi et à Michel, et qui s'appellera Madeleine.

Oh ! quelle émotion, quel transport de joie ce fut pour Marie. Papa la conduisit dans la chambre de maman, après lui avoir recommandé :

— Il ne faut pas faire de bruit.

Alors, Marie avait marché doucement, doucement, sur la pointe des pieds, pour obéir. Et, d'abord, elle regarda sa mère dans le grand lit. Et sa mère la regardait aussi avec un immense amour. Et elles s'embrassèrent. Et Marie souriait sans rien dire, un peu haletante. Puis elle cherchait des yeux la petite sœur qu'elle ne voyait pas. Alors son père la conduisit vers le berceau. Et elle s'avançait, de plus en plus lente. Elle mettait sa main sur sa bouche pour retenir sa respiration. Enfin, son père la souleva dans ses bras, après avoir écarté les rideaux, et il la mit en face de la nouvelle née qui dormait, toute rouge et toute chiffonnée. Et Marie aurait voulu crier son admiration, sa tendresse, mais elle faisait silence, elle était comme en extase devant cette merveille de Dieu qu'est une petite sœur.

Papa ramena les voiles de tulle, après avoir reposé sur le sol Marie qui revint vers sa mère, qui ne bougeait pas mais qui souriait, et elle appliqua sa joue contre la main pendante hors du lit, afin de se faire caresser. Ensuite elle regarda, sur la commode, la Vierge. Et, elle la vit comme toujours, immobile et fidèle, et laissa sur elle son cœur se poser comme l'oiseau sur la branche, la remerciant de ce qu'elle lui eût envoyé Madeleine.

IV

Les jours se suivent, et ne se ressemblent pas. Hélas ! six mois après le baptême de Madeleine, auquel Marie avait assisté toute glorieuse, le beau petit Michel mourut du croup en quelques heures. Ce fut un arrachement. Marie, sensible et déjà réfléchie comme une petite femme, souffrit pour elle-même et pour ses parents atterrés par ce coup de foudre. Les détails de la sépulture se gravèrent dans son esprit comme se gravent, sur les petites pierres que l'on dédie aux innocents, des formules désolées sous un buisson aux baies saignantes. Mais tant de sanglots, étouffés dans l'ombre, ne firent qu'accroître la sagesse de Marie.

La vie reprit amère et pleine d'amour. On allait parfois déposer des fleurs sur la tombe exiguë, et y pleurer tendrement ensemble, sans rien dire. Papa, dont la barbe avait beaucoup blanchi en peu de jours, après la mort de Michel, ne touchait plus à son violon.

Un matin, Marie vit que l'étui, posé dans le bureau, sur l'un des rayons à registres, était recouvert de poussière, tellement qu'en y passant le doigt dessus, elle y laissa une trace. Elle demanda :

— Papa, pourquoi ne joues-tu plus ?

Il répondit, comme s'il avait eu affaire à une grande personne :

— Tu le devines bien, ma chérie, je suis si triste depuis la mort de petit Michel…

Alors, elle fit cette réponse que lui inspira son ange :

— Oh ! non. Il ne faut pas que tu cesses de jouer. La Sainte Vierge veut que tu joues parce que Michel t'entend.

Pendant les vacances qui suivirent cette cruelle épreuve, on allait parfois dans la prairie en fleurs qui bordait la rivière où papa pêchait des goujons. Maman s'asseyait, prenait son ouvrage, et Marie faisait au soleil des bouquets de boutons d'or, de lychnis et de grandes-marguerites. Elle les disposait tout autour de son panier à goûter, qu'elle transformait ainsi, le recouvrant de son mouchoir, en un petit autel qu'elle vouait, dans son cœur, à la Vierge. Lorsque toute chose était en ordre, elle se mettait à genoux dans l'herbe. Et, non loin de sa mère, elle tirait de sa poche son mince chapelet, le récitait. Sa mère répondait. Prions, pensait Marie, pour que le petit Michel vienne nous voir ici.

Et alors les grâces de l'Immaculée dardaient à travers les feuillages sur l'eau dormante et bleue, émouvaient l'enfant qui, dans une fusion du ciel et de la terre, sentait Michel descendre à son appel.

Les maîtresses qui apprenaient le catéchisme à Marie la trouvaient si fervente que, parfois, elles l'interrogeaient sur une vocation possible. L'enfant leur répondait :

— J'aime beaucoup la Sainte Vierge, mais je ne veux pas me faire religieuse. Plutôt je veux être une maman comme la mienne.

Au début de novembre, la tante de Navarrenx, qui était infirme depuis deux ans, mourut. Elle laissait à sa nièce quelque argent et la villa où elles avaient vécu ensemble autrefois et qu'elle lui avait promise.

Après l'enterrement, où ils s'étaient rendus avec Marie, celle-ci entendit papa qui disait à maman :

— Si petit Michel avait vécu, peut-être qu'il serait devenu notaire à Navarrenx ; qu'il se serait marié ; qu'il aurait habité dans la jolie villa de ta jeunesse. Notre bonheur a été brisé.

— Ne parle pas ainsi, mon ami, avait répondu maman. Nous habiterons là quand tu seras à la retraite. Et puis, plus tard, ce sera pour Marie ou pour Madeleine. Et qui sait... peut-être que Dieu va nous envoyer bientôt un garçon.

Et Marie avait eu gros cœur, en se disant que Michel ne serait pas là pour habiter cette gaie maison. Quant à elle, peu lui importait, elle irait où l'on voudrait. Et elle n'avait pas compris pourquoi on avait parlé d'avoir un garçon, puisque Michel était mort, d'un garçon qui peut-être serait là bientôt.

Marie fut dans la joie de retrouver, à Arbouët, sa petite sœur Madeleine. Elle reprit son train de vie si monotone et si sage, et elle s'appliquait de plus en plus.

L'avant-veille du jour qu'elle accomplit sa huitième année, comme elle revenait du catéchisme, il n'était pas loin de midi, elle rentra dans le bureau de papa. Celui-ci écrivait sur l'un de ses grands registres. Elle s'approcha de lui pour l'embrasser.

Quand il lui eut rendu son baiser, il lui dit, sans la regarder :

— Ce matin, il est arrivé un petit frère pour toi et pour Madeleine. Il s'appelle Pierre.

Marie poussa une exclamation de joie, mais elle fut surprise de voir papa s'essuyer les yeux. Il pleurait parce qu'il pensait à Michel qui n'était plus là.

Ce fut entre sa onzième et douzième année que Marie reçut le Seigneur. On eût dit que son voile si blanc n'était que le reflet de son âme si pure. On se serait cru, à l'église, dans un jardin de neige comme il en tombait au jour de sa naissance, à Roquette-Buisson. Ah ! comme elle pria ! Pas même pour regarder sa mère, elle ne détourna sa tête couronnée de roses. Soudain, son cœur fondit sous la tendresse, comme un flocon au soleil. Papa jouait du violon à la tribune comme l'en avait prié Monsieur le Curé. Marie ne l'avait point entendu depuis la mort de Michel, car, malgré la jolie phrase qu'elle lui avait faite, il n'avait pas eu le courage de reprendre son archet. Mais aujourd'hui, la musique coulait comme de l'eau, baignait les paupières de Marie.

Et, grâce à la mélodie candide, elle revoyait toute sa vie, le jardin de Roquette-Buisson, quand le chant du même violon s'élevait dans l'azur ; la chambre avec la commode où l'on faisait le mois de Marie et la crèche ; la naissance de son Michel doré ; les jeux avec Isabelle ; les adieux à la gare ; la nouvelle demeure à Arbouët ; sa première entrevue avec Madeleine, dans la chambre où maman souriait ; la mort rapide de Michel ; la petite tombe.

Alors, le violon s'était tu, papa n'avait plus souri jamais, et rien ne l'avait plus consolé, pas même la naissance de Pierre. Enfin après six longues années, voici que le violon, rompant le triste silence, chantait comme une voix d'enfant au Paradis.

Et, dans ce sein de petite fille, Dieu vint nicher.

Aucune de ses compagnes ne prit l'Hostie avec une foi plus pleine, avec un recueillement plus réfléchi que Marie ne la reçut. Elle ne quitta l'église qu'à regret, à pas lents, devenue le vase honorable qui craint qu'on ne le heurte et que son parfum ne se répande.

Maman était contente que papa se fût remis à la musique, et dans une occasion si belle. Sur le massepain que l'on servit à déjeuner, il y avait, toute tremblante, une première communiante. On prit le café au bureau. Et, quand sonna l'appel des vêpres, le père, sentant la lointaine douleur s'adoucir, pressa Marie contre lui.

V

Depuis quelques années que son père était mort à Arbouët, Marie vivait avec sa mère, sa sœur Madeleine et son frère Pierre, dans la maison de Navarrenx que leur avait laissée leur tante.

Pierre, venant d'accomplir ses dix ans, on l'avait mis en pension au collège d'Orthez, à une vingtaine de kilomètres. Il travaillait. Il montrait la bonté, mais aussi la mélancolie de son père. Il n'avait rien de l'exubérance que montrait Michel, dont la mort foudroyante, à l'âge de trois ans, avait laissé leur père inconsolable.

Dans l'âme de Marie, la grâce virginale n'avait cessé de croître, qui s'épanouissait aujourd'hui.

Il n'apparaissait point, et elle le disait comme autrefois à qui voulait l'entendre, si on l'interrogeait là-dessus, qu'elle eût la moindre idée d'embrasser la vie religieuse. Je suis née pour être maman comme maman, si Dieu le veut, répétait-elle avec simplicité. Je ne suis pas assez parfaite pour le cloître, et, d'ailleurs, j'ai le goût du ménage.

Elle n'était bigote ni lâche dans ses pratiques, elle jouissait d'un parfait équilibre. Bien qu'elle ne fût pas jolie au sens mondain, sa santé donnait du charme à son visage et à son corps.

Ce fut au mois de mai de l'année 1886 que Marie fut saisie par un trouble délicieux qu'elle ne s'expliqua point. Il était exactement midi, elle sortait de la paroisse où elle venait d'apprendre le catéchisme aux enfants. Elle fut éblouie partout ce qu'elle voyait. Une joie sans nom l'envahit, à tel point qu'en regardant les feuilles d'un laurier, luisantes de soleil, elle dut porter la main à son cœur pour en calmer les battements. Comme, un peu plus loin, elle voyait des lilas, quelques larmes roulèrent sur ses joues brunes sans qu'elle pût leur attribuer d'autre cause que cette sorte de bonheur que jamais elle n'avait éprouvé jusque-là. Ce n'est pas, certes, qu'elle n'eût connu l'allégresse, quand elle était toute petite, sur les genoux de sa mère, et dans ses jeux au jardin quand lui parvenait, à travers les feuilles, l'air tendre d'un violon. Même au milieu de ses afflictions, elle avait connu de ces grâces qui rassérènent le cœur, et je ne pense pas que jamais enfant ait éprouvé une béatitude plus grande que celle qui descendit sur elle, dans l'église d'Arbouët, sept ans plus tôt, lors de sa première communion.

Mais cette ivresse qui la pénétrait aujourd'hui, si pure qu'elle fût, n'appartenait point tout entière à ce domaine de la Vierge où son enfance et son adolescence jusque-là s'étaient confinées.

Elle monta dans sa chambre, et, comme un doux vertige continuait de lui porter au cœur, elle s'agenouilla, avec cette simplicité qui ne lui faisait jamais défaut, devant la petite statue qui la ramenait aux premiers jours de son existence. Ses pleurs coulèrent à nouveau, elle songeait à de menus détails de jadis. Il lui semblait rouvrir quelque vieille malle et qu'elle en retirât ces détails un à un. Elle revoyait Roquette-Buisson, la maison natale, l'école, le château d'Isabelle, et ces souliers dont elle avait eu honte tout un après-midi et qu'elle avait aimés ensuite parce que la Vierge a les pieds nus. Elle entendait maintenant chanter dans son cœur printanier le violon de ce père chéri. Certes ! Ce n'était pas un bien merveilleux instrument et l'humble fonctionnaire n'avait jamais eu d'autre prétention que d'en distraire, surtout quand il était garçon, sa vie un peu monotone.

La mélodie parvenait à Marie à travers les rayons et les abeilles d'autrefois, s'interrompait soudain à la mort de Michel, reprenait à la première communion, puis agonisait dans l'ombre avec son doux musicien. Mais voici que l'air ressuscitait, enfin, large et suave, en ce midi de mai, moins touchant, moins pur, moins sacré, tout tremblant d'une aspiration jusque-là inconnue.

Elle redescendit pour déjeuner. En passant au jardin, elle cueillit une rose qu'elle mit à son corsage, ce que jamais de sa vie elle n'avait fait.

———

Quelques jours après, un vent chaud et pluvieux souffla, mais le beau temps garda son équilibre, et les Pyrénées, basses, sombres et bleues, rapprochèrent l'horizon. Marie, invitée avec Madeleine chez un vieux garçon et une vieille fille, le frère et la sœur, qui se plaisaient à réunir souvent de la jeunesse dans leur maison, aux environs de Navarrenx, se trouva placée à table auprès d'un jeune homme qui s'appelait Michel Géronce. En l'entendant nommer, Marie ne put faire autrement que de songer au frère qu'elle avait perdu tout petit, et qui était blond comme ça, dont les yeux étaient du même ciel bleu, et qui, s'il avait grandi, aurait eu un charme pareil.

Quand Michel Géronce adressa la parole à Marie, elle eut comme un frisson au cœur.

———

Après le déjeuner, on s'éparpilla dans le parc. On entendait tonner au loin, et les lilas étaient éclairés d'une étrange lueur. Une douce odeur de miel montait de la grande pelouse, dont le centre avait été aménagé pour les jeux. Déjà Madeleine et ses amies se renvoyaient les balles. Sur la terrasse grise, mordue par les mousses d'or, les personnes âgées regardaient l'horizon qui continuait d'être épais et bleu.

Michel Géronce marchait lentement à côté de Marie qui l'écoutait avec une tendresse qui s'ignore. Il ne lui disait cependant que ce qu'un jeune homme dit à une jeune fille. Mais l'arc-en-ciel se levait là-bas, et la touffe d'iris violets qu'ils frôlèrent dans l'allée s'assombrissait comme la montagne. Tous deux s'engagèrent dans le sentier, assez mal entretenu, qui descendait vers le gave. Il y avait, au bout, une fontaine centenaire envahie par des lauriers. Qui donc était venu rêver jadis dans cet endroit abandonné ?

Michel parlait, et Marie accueillait ravie les paroles de cet enfant de vingt-cinq ans qui ne s'écoutait pas davantage que le bouvreuil quand il chante. Elle l'admirait tout de suite.

Lorsque, toujours du même pas lent, ils furent revenus devant la vaste prairie où les enfants, animés comme des roses, rythmaient de leurs exclamations les coups mats des raquettes, elle laissa tomber, de ses lèvres franches et rouges, ces mots candides :

— Madeleine, Pierre et moi, avions un tout jeune frère qui est mort et qui portait le même nom que vous : Michel.

A peine l'avait-il quittée, pour rejoindre un groupe d'amis, la grêle retentit. Elle tombait légère, inondant de lumière les pommiers du verger fleuri qui grelottait. Les joueurs et les joueuses, et ceux qui les regardaient, et les quelques personnes demeurées sur le perron, se réfugièrent dans le grand salon.

Alors, et combien ce fut à Marie une douce surprise, Michel Géronce joua du violon. S'isolant, pour mieux goûter ce charme, dans le jour tamisé d'une vieille cretonne qui servait de rideau fleuri à l'une des vastes fenêtres, elle sentait son âme trop pleine déborder comme une source au tranquille flot de cristal. L'orage s'éloignait, ne s'entendait plus qu'à peine. Elle fermait les yeux.

C'est ainsi que son père enchantait le pauvre bureau ; c'est ainsi que, devant les châtelains de Roquette-Buisson, il avait joué, ce dont elle avait été si fière, alors qu'elle était une toute petite fille qui portait des souliers faits par le cordonnier du village ; c'est ainsi que, longtemps après la mort de Michel, il avait repris, quand elle avait communié pour la première fois, l'archet couleur de nuit et de lumière ; puis un long silence s'était fait autour de la tombe de l'humble receveur, un silence que rien, pensait Marie, n'aurait pu rompre. Mais aujourd'hui, en des mains infiniment plus jeunes, se continuait la divine harmonie. Et celui qui en vibrait tout entier, dont le jeune menton baisait le bois sonore, qui évoquait tout ce passé triste et doux, s'appelait

Michel, comme l'ange d'or disparu ! Et la jeune fille, ivre, à cette heure, de printemps et de musique, se demandait : La vie peut donc offrir autre chose que cette épreuve, sans doute baignée de tendresse, mais aussi de larmes, que j'ai connue et acceptée jusqu'ici !

Un grand combat se livrait dans son âme qui, soudain, s'envolait vers ce prince charmant. Mais, aussitôt, le vieil air d'autrefois reprenait en sourdine, le vieil air d'Arbouët où papa était mort, le vieil air de Roquette-Buisson, le vieil air qui ravissait son cœur à peine éclos. En se laissant aller à ce sentiment si neuf ne trahissait-elle pas le passé chéri, l'ancienne obscurité, cette existence de petite fille bien sage qu'elle avait menée jusqu'ici ? Ce Michel si blond, si beau, si sensible ne jouait-il pas mieux que papa ? Oh ! non ! Mais c'était autre chose, comme une fleur nouvelle qui souriait à la cime d'un vieux et sombre rosier.

La mélodie cessa, telle qu'une eau courante qui s'enfonce dans l'ombre. Mais quand Michel Géronce eut reposé l'instrument, un charme persista dans la pièce antique dont le soleil, enfin vainqueur de l'orage, frappa les vitres. Ce fut sur la route d'Oloron à Navarrenx, où cheminèrent ensemble un moment les invités qui s'en retournaient, que Michel Géronce prit congé de Marie. Elle lui tendit la main, et le vit disparaître dans l'étroite allée de peupliers qui conduisait à la demeure d'un oncle chez qui, parfois, il séjournait. Il devait repartir le lendemain.

A quelque temps de là, Marie et sa mère durent se rendre à Orthez, laissant Madeleine à Navarrenx sous la surveillance d'amis. Elles étaient mandées en hâte par le supérieur du Collège. Pierre avait été pris subitement d'une forte fièvre typhoïde. Elles le trouvèrent dans son petit lit de fer. Il ne les reconnut pas, il avait le délire, et elles éprouvèrent une grande angoisse en le voyant, si jeune, abandonné presque à lui-même, dans une chambre isolée du dortoir. Elles posèrent la main sur son front, sur sa mince poitrine. Il avait la peau sèche et brûlante. Maman ressentait, à cette heure, l'amertume de s'être séparée si tôt de son petit, de l'avoir mis pensionnaire là. Il est vrai qu'à Navarrenx, il n'y avait point d'éducation possible pour un garçon qui allait atteindre onze ans. Les deux femmes s'installèrent dans une pièce, à côté de celle qu'occupait le malade, et elles purent ainsi le soigner en se relayant, observer les moindres prescriptions du médecin.

Marie se trouva reportée, par ce triste événement, à cet état qui avait toujours été le sien jusqu'à cette effervescence qui, au mois de mai dernier, l'avait tant surprise elle-même. Si, il n'y avait que peu de jours, un éclatant rayon avait traversé sa vie, la crainte de voir Pierre « s'en aller » après papa, et après petit Michel, l'enveloppait du plus menaçant des nuages.

On ne pouvait se prononcer encore sur l'issue de la maladie de l'enfant. Le délire persistait. Pendant les accès, la physionomie de Pierre offrait une étrange ressemblance avec celle, si ardente, de son père, à ses derniers moments. Chaque matin, à l'aube, l'espoir semblait renaître. Et, avant même que le docteur fût venu prendre la température, Marie se glissait vers son frère, et, posant à plat sa main sur cette pauvre cage où s'affolait le petit cœur, tel qu'un oiseau, elle essayait de prévoir la rémission.

Il ne se passa point de miracle. Mais la grâce opéra peu à peu. Les bains calmèrent la fièvre. L'enfant, un matin, sourit à sa mère qui était à son chevet. Il était guéri.

Le médecin pensa qu'il ne fallait point attendre la distribution des prix pour donner la volée à travers champs et bois à Pierre, qui repartit joyeux pour Navarrenx, par la diligence, avec sa maman et sa sœur. C'était dans la saison que les prairies, sous l'azur luisant, attendent le passage de la Fête-Dieu. Le convalescent respirait à l'aise. Son cœur, qui avait été si effarouché dans l'étroite prison de sa poitrine, se dilata.

————————————

Marie, à ce moment, reçut de la petite châtelaine de Roquette-Buisson, Isabelle, une lettre qui la conviait, ainsi que sa mère, à son mariage qu'elle lui avait annoncé l'an dernier.

Les deux amies n'avaient jamais cessé de correspondre depuis qu'elles s'étaient quittées, voilà treize ans. La fiancée fixait, aux tout premiers jours d'août, cette date importante. L'émotion de Marie fut grande, car elle allait revoir, après si longtemps, les lieux sacrés où elle avait ouvert les yeux au monde. Elle songeait au jardin ébloui, à l'ombre du bureau plein de registres où son papa chéri la prenait sur ses genoux.

Isabelle vint elle-même recevoir ses deux invitées à la descente du train, et les conduisit au château, encombré par les préparatifs de la noce. Les hôtes étaient si nombreux que l'on se sentait perdu.

Marie avait dissimulé son émoi dans la cour de la gare, à la vue des mêmes catalpas, dont les fruits allongés l'amusaient quand elle était toute petite. La voiture avait filé si rapide le long de la rue principale, qu'il ne lui avait pas été possible de poser un seul instant son doux regard sur les objets vénérés de son passé pour les interroger. Sa mère n'était point, comme elle, attirée par ces reliques. Même le désir de revoir le nid qui les avait abrités jadis, elle, son mari, leur fille aînée et le petit Michel, ne l'eût point tentée. Ce n'est point qu'elle ne conservât avec piété ses morts dans son cœur. Mais un toit d'où s'élève une fumée, un mur qui se fend sous la poussée des racines, un vieux laurier qui sourit avec tristesse, ne lui disaient rien.

Les cérémonies furent telles que dans un mariage de cette sorte et, de bonne heure, les époux prirent congé. Puis l'on commença de danser, ce que Marie ne savait point, ou si mal ! La lune étant fort claire et la soirée tiède, beaucoup d'invités se promenèrent dans le parc, regardèrent tourner les villageois sous les ormeaux. Marie ne savait point se distraire à ces choses. Elle s'était réjouie du bonheur d'Isabelle et, le matin, elle avait prié de tout son cœur pour le jeune couple, dans la petite église qui communiquait avec le château. Elle songeait que demain il lui faudrait repartir, et qu'elle n'aurait rien vu de ce qui lui tenait tant au cœur. Tandis qu'elle agitait ces pensées, elle franchit le premier kilomètre qui la séparait de Roquette-Buisson. Il était dix heures du soir. Cette solitude bleue était favorable à la mélancolie de la promeneuse. Elle continua d'avancer. Son cœur battit. Elle pénétrait dans le village endormi. Elle se dirigeait vers la ruelle d'un bas quartier où elle savait qu'était sa demeure natale. Elle passa devant l'école des Sœurs-bleues dont elle reconnut la porte étroite, munie au bas de deux trous qu'elle se rappelait bien, et qui semblait n'avoir d'autre utilité que de livrer passage aux chats.

Son sein palpita davantage. Était-ce cela la maison ? Oui, elle en reconnaissait le perron. Il n'y avait pas à s'y tromper. Mais quel triste enchantement pesait sur ce toit, aux tuiles lépreuses, sur ces volets fermés et vermoulus, sur ces murs misérables dont s'écaillaient les plâtras superposés ? Il n'avait donc pas fallu quinze ans pour que ce berceau devînt un sépulcre. Marie, interdite, regardait le contrevent ruiné du rez-de-chaussée, à gauche de la porte. C'était la fenêtre qui, jadis, à travers un rideau de tulle, éclairait le bureau de l'enregistrement. Elle écoutait, une main sur la gorge, elle écoutait, elle écoutait, si, du fond de ces ténèbres fermées, ne s'élèverait point le doux chant de l'enfance, si elle n'allait pas entendre pleurer le violon d'autrefois. Rien. Elle ferma les yeux, et, à voix basse, elle prononça ce mot ridicule et divin : « Papa ! »…

Elle n'eût osé, même si elle l'avait pu, franchir ce seuil. Qu'y avait-il, derrière la porte, sinon l'absence ? Le loquet devait être le même, il était si usé ! Elle le toucha du doigt. Puis, redescendant les marches envahies par l'herbe, elle essaya d'apercevoir, par-dessus la muraille, le jardin où tout le ciel, jadis, entrait pour elle. Mais elle ne vit que l'ombre, elle n'entendit que le silence, et elle s'en retourna.

Elle se coucha, en proie à une tristesse que les rumeurs de la fête augmentaient encore. Le pèlerinage qu'elle venait d'accomplir lui avait fait éprouver étrangement cet amer regret du passé, ce vide que le Ciel peut seul combler, car, seul, le Ciel comprend ce que nous avons perdu. Elle serrait fortement son chapelet dans son poing, ce que souvent elle faisait en élevant sa pensée vers la Vierge. Et, soudain, un grand calme se fit, elle s'endormit, et la morne vision qu'elle venait d'avoir dans la réalité fut transfigurée par un rêve. Elle se retrouvait dans le jardin natal, non plus toute petite, mais à présent.

Ce n'était que lumière et fleurs, et le violon de papa s'entendait au loin. Elle était sur le banc de la tonnelle où jadis elle aimait à ombrager sa poupée, et le jeune homme, assis à côté d'elle, blond comme le soleil qui perçait la voûte végétale, ressemblait à Michel Géronce. Il cueillit une rose, la lui donna, mais elle la laissa choir de sa main trop timide. Elle s'éveilla en se demandant, s'il n'y avait point là une prédiction heureuse ou si d'avoir laissé tomber la rose ne signifiait pas, au contraire, que cet amour qu'elle s'avouait à peine, elle le laisserait glisser d'entre ses doigts. Elle alla communier à la messe matinale, et fit taire ce qui ne devait être, en effet, qu'un songe vain.

VI

Marie ne revit jamais Michel que sa carrière avait poussé aux pays étrangers. Elle comprit que ce qui l'avait émue, au sortir de l'adolescence, ne lui avait été qu'une illusion, une de ces vapeurs que les lilas exhalent pour des privilégiées, mais qui ne laissent qu'un regret aux jeunes filles dédaignées par ceux que l'on appelle « des beaux partis ».

Elle vieillit sans se plaindre, toujours aussi sage, toujours la petite fille de Roquette-Buisson maintenant dévouée à sa mère et à sa sœur, heureuse que son frère Pierre fût entré au Séminaire. Elle vieillit, dis-je, si vieillir c'est demeurer jusqu'à vingt-huit ans sans époux. Elle n'avait point d'amertume. Elle attendait sans attendre, comme une jeune fille qui n'a pas de dot. Peut-être n'attendait-elle plus.

Celui que la Providence lui envoya ne fut donc pas le brillant Michel, ni l'un de ces officiers que l'on voyait passer durant les grandes vacances et qui caressaient leurs moustaches avant de mettre le pied à l'étrier. Ce fut un homme sans beauté, sans prétentions, âgé d'une cinquantaine d'années, de ceux qui ne font point rêver les jeunes filles.

Il représentait une maison de vins. Il était venu plusieurs fois chez la maman de Marie pour offrir ses services. Il était timide et bon, rangé, d'excellente réputation, l'une de ces personnes dont le monde sourit avec indulgence.

Des faiseurs de romans ne manqueraient point de montrer ici Marie sacrifiée, se mariant avec une peine secrète, et conservant dans son cœur l'image de l'autre, et le brillant souvenir du mariage d'Isabelle. Il n'en fut pas ainsi. Elle accepta volontiers, avec son bon sourire, celui qui la venait tirer du célibat et de ce gros chagrin qu'elle nourrissait : la crainte de n'être jamais mère.

Le mariage eut lieu à Navarrenx. Il sembla à Marie, durant la bénédiction que l'on donna aux époux, entendre le doux violon de Roquette-Buisson, dans le jardin de l'humilité. Le petit Michel mort tenait avec papa un grand voile dans le Ciel, et il en tombait des grâces pareilles à des flocons de neige sur cette Marie qui avait appris de bonne heure à aimer ses gros souliers, sur cette Marie douée du sens sacré de la vie et qui, le soir du même jour, dit à son mari :

— Je suis bien heureuse.